A lógica do consumo

A lógica do consumo

Verdades e mentiras sobre por que compramos

Martin Lindstrom

Tradução
Marcello Lino

Rio de Janeiro, 2025

Título original: BUYOLOGY

Copyright © 2008 by Martin Lindstrom

Direitos de edição da obra em língua portuguesa no Brasil adquiridos pela CASA DOS LIVROS EDITORA LTDA. Todos os direitos reservados. Nenhuma parte desta obra pode ser apropriada e estocada em sistema de banco de dados ou processo similar, em qualquer forma ou meio, seja eletrônico, de fotocópia, gravação etc., sem a permissão do detentor do copirraite.

DIRETORA EDITORIAL: *Raquel Cozer*
GERENTE EDITORIAL: *Alice Mello*
REVISÃO DE TRADUÇÃO: *Giuliana Alonso*
REVISÃO: *Anna Carla Ferreira, Leonardo Alves*
INDEXAÇÃO: *Rosana Alencar*
DIAGRAMAÇÃO: *Selênia*

Rua da Quitanda, 86, sala 601A – Centro – 20091-005
Rio de Janeiro – RJ – Brasil
Tel.: (21) 3175-1030

CIP-Brasil. Catalogação na fonte
Sindicato Nacional dos Editores de Livros, RJ.

L293l   Lindstrom, Martin
         A lógica do consumo : verdades e mentiras sobre por que
      compramos / Martin Lindstrom ; tradução Marcello Lino. —
      Rio de Janeiro : HarperCollins Brasil, 2016.

         Tradução de: Buyology
         ISBN 9788595082663

         1. Ensaio. 2. Neuropsicologia — Ensaio. 3.
      Comportamento de consumo. I. Lino, Marcello. II. Título.

                                                    CDD: 814
                                                    CDU: 821-3

SUMÁRIO

Prefácio
Por Paco Underhill.. 7

Introdução 11

1: Um afluxo de sangue para a cabeça
O maior estudo de neuromarketing já realizado 16

2: Deve ser este o lugar
Merchandising, *American Idol* e o erro multimilionário da Ford 41

3: Quero o mesmo que ela pediu
Os neurônios-espelho em ação 54

4: Não consigo mais ver com clareza
Mensagens subliminares, vivas e fortes.. 66

5: Você acredita em magia?
Ritual, superstição e por que compramos... 82

6: Façamos uma rápida prece
Fé, religião e marcas.. 97

7: Por que escolhi você?
O poder dos marcadores somáticos 114

8: Uma sensação de deslumbramento
Vendendo para os sentidos 124

9: E a resposta é...
Neuromarketing e previsão do futuro 144

10: Vamos passar a noite juntos
Sexo na publicidade 153

11: Conclusão
Um novo dia 167

Apêndice 177

Agradecimentos 180

Notas 185

Bibliografia 191

Índice remissivo 196

PREFÁCIO
Paco Underhill

Era uma noite fria de setembro. Eu não estava preparado para aquela temperatura, usava apenas um suéter de caxemira bege debaixo da minha jaqueta esportiva. Ainda estava com frio por causa da caminhada do hotel até o píer quando embarquei no navio lotado no qual me encontraria com Martin Lindstrom pela primeira vez. Ele dera uma palestra em uma conferência sobre serviços alimentícios realizada pelo Instituto Gottlieb Duttweiler, o venerável grupo de pesquisa e consultoria suíço, e David Bosshart, o organizador da conferência, estava ansioso para que nos conhecêssemos. Eu nunca ouvira falar de Martin. Circulávamos em esferas diferentes. No entanto, eu havia visto *BRANDchild*, seu livro mais recente, na livraria do aeroporto JFK antes de partir para Zurique.

Qualquer pessoa que visse Martin a uma distância de cinco metros poderia confundi-lo com um garoto de 14 anos, sendo arrastado relutantemente de uma reunião para outra pelos sócios gordos e grisalhos de seu pai. A segunda impressão é a de que, de alguma maneira, aquela pequena criatura loura acabara de se colocar sob a luz dos holofotes; você espera que a luz se apague lentamente, mas isso não acontece. Como em uma pintura pré-rafaelita, há um brilho que emana de Martin como se ele estivesse destinado a ocupar o palco. Não, não como um ídolo dos cinemas, mas como uma espécie de deus mirim. O homem exala virtude. De perto, ele é ainda mais espantoso. Nunca conheci uma pessoa com olhos tão sábios em um rosto tão jovial. O toque grisalho nos cabelos e os dentes ligeiramente irregulares imprimem-lhe uma marca visual única. Se ele não fosse um guru de negócios e de *branding*, você poderia pedir-lhe uma foto autografada ou oferecer-lhe um suéter.

Acho que não trocamos mais do que dez palavras naquela noite, sete anos atrás. Mas foi o início de uma amizade pessoal e profissional que se estendeu por cinco continentes. De Sidney a Copenhague, de Tóquio a Nova York, conspiramos para fazer com que nossos caminhos se cruzassem. Risos, discussões, conselhos mútuos... tudo isso tem sido um prazer singular. Martin passa trezentas noites por ano fora de casa. Minha situação não é tão ruim assim, mas, a certa altura, você para de contar os travesseiros desconfortáveis e os cupons de voo usados e simplesmente se entrega à camaradagem dos guerreiros da estrada.

Martin observa, escuta e processa. A biografia em seu site diz que ele iniciou sua carreira na publicidade aos 12 anos de idade. Acho isso menos interessante do que o fato de seus pais, mais ou menos nessa mesma época, o terem tirado da escola, pegado um veleiro e viajado mundo afora. Sei que, aos 12 anos, eu não conseguiria viver em um barco de dez metros, durante dois anos, com meus pais. Martin diz que ainda fica mareado e prefere viver em Sidney, o mais longe possível da sua Dinamarca natal.

No mundo das conversas eruditas, o mais divertido é se ver compartilhando opiniões com pessoas cuja trajetória até aquele ponto de vista foi diferente da sua. Trata-se ao mesmo tempo de uma forma de legitimação e de verificação da realidade. Na minha carreira de antropólogo do consumo, nem sempre concordei com anunciantes e profissionais de marketing. Pessoalmente, tenho uma desconfiança fundamental em relação à fascinação do século XX pelo *branding*; não possuo camisas com estampas de jacarés nem de jogadores de polo e arranco as etiquetas da parte externa dos meus jeans. Na verdade, acho que as empresas deveriam *me* pagar pelo privilégio de colocar sua logomarca no meu peito, e não o contrário. Então, é meio estranho me ver no mesmo púlpito com alguém que é apaixonado por *branding* e que acredita que a publicidade é, na verdade, um empreendimento virtuoso, e não apenas um mal necessário. Concordamos na crença de que as ferramentas para entender por que fazemos o que fazemos, seja em lojas, hotéis, aeroportos ou on-line, precisam ser reinventadas.

Durante o final do século XX, os comerciantes e profissionais de marketing tinham duas maneiras de examinar a eficácia de seus esforços. A primeira era monitorar as vendas. O que as pessoas estão comprando e o que podemos deduzir a partir desses padrões de compra? Chamo isso de perspectiva da caixa registradora. O problema é que esse método confirma suas vitórias e derrotas sem realmente explicar por que elas estão acontecendo. E daí que as pessoas compraram manteiga de amendoim da Jif mesmo com a da marca Skippy em promoção?

A segunda ferramenta era a tradicional pesquisa de mercado através de perguntas. Podemos parar as pessoas enquanto caminham pelo corredor do shopping, telefonar para elas, convidá-las para discussões de grupo ou pedir para que participem de um painel pela internet. Minha longa experiência me diz que o que as pessoas dizem que fazem e o que elas realmente fazem são duas coisas diferentes. Não significa que essas duas ferramentas não funcionam; significa apenas que são limitadas. Assim como a publicidade e o *branding* ainda funcionam, mas não mais como antigamente.

O problema é que sempre tivemos mais habilidade para coletar dados do que para fazer algo com eles. Nos anos 1990, os escritórios de muitos pesquisadores de mercado estavam cheios de documentos impressos sobre a audiência da televisão, dados de pesquisas sobre vendas obtidos pela leitura de códigos de barras, ou resultados de milhares de entrevistas telefônicas. Aprendemos que uma em cada duas típicas mães norte-americanas, entre 28 e 32 anos, que têm os últimos modelos de carros de passeio e vivem em cidades pequenas preferem Jif a Skippy. O que fazemos com essa informação? Como um amigo cínico sugeriu, estamos trabalhando para superar esse desafio.

A ciência e o marketing possuem historicamente uma relação de amor e ódio. Nos anos 1950, os acadêmicos saíram de suas torres de marfim e começaram a colaborar com as agências de publicidade. *A nova técnica de convencer*, livro seminal de Vance Packard, descreve aquela era de ouro que durou menos de uma década. Fazer com que as mães se sentissem bem por alimentar seus filhos com gelatina, ou desconstruir o motivo pelo qual um carro esportivo atraente na frente da concessionária da Ford fazia com que sedãs sem graça fossem vendidos; isso era, em grande parte, simples e lógico. A sua aplicação era fácil, numa sociedade com três grandes canais de televisão e cerca de uma dúzia de revistas populares. Essa relação começou a ser elucidada quando as coisas simplesmente deram errado. Nos anos 1950, mesmo contando com os melhores cérebros e um orçamento de marketing muito polpudo, o Edsel fracassou. Trinta anos mais tarde, a New Coke encalhou rapidamente.

Nas últimas três décadas, a ciência nas pesquisas de mercado tinha mais a ver com matemática avançada do que com psicologia. Relevância estatística, tamanho de amostragem, desvio padrão, testes Z, testes T e assim por diante. Os absolutos matemáticos são de certa forma mais seguros. Gosto de pensar que a tarefa do pesquisador de mercado moderno é transformar seus clientes em apostadores melhores, tentando reduzir as probabilidades de erro. Pense nele como uma mistura de cientista e vidente de bolas de cristal: uma pessoa rápida o bastante para acertar em cheio e com dom ou lábia suficientes para contar uma história que tenha credibilidade.

Neste livro, Martin, que passou os últimos dez anos desenvolvendo novas ferramentas de pesquisa, entra no campo do neuromarketing. Esta obra fala da nova confluência entre conhecimento médico, tecnologia e marketing, à qual adicionamos a capacidade de rastrear o cérebro para entender os estímulos cerebrais. Que parte do cérebro reage à logomarca da Coca-Cola? Como podemos entender que parte do sexo vende?

Garanto a você que se trata de uma viagem agradável e informativa. De aldeias de pescadores no Japão até salas de reuniões a portas fechadas de empresas em Paris, passando por um laboratório médico em Oxford, Inglaterra, Martin possui um baú cheio de revelações fascinantes para compartilhar e de histórias para contar. E seja qual for a sua opinião sobre marcas e *branding* — se é que você tem alguma opinião a esse respeito —, ele vai fazer com que você queira saber mais.

Será que seremos capazes de ver estímulos sexuais migrarem para diferentes partes do cérebro à medida que procriação e prazer se distanciam cada vez mais? Afaste-se, Michael Crichton: isto não é ficção científica com máquinas do tempo ou nanotecnologia fora de controle. É Martin Lindstrom, e ele escreveu outro grande livro.

INTRODUÇÃO

Sejamos sinceros, todos nós somos consumidores. Quer estejamos comprando um celular, um creme antirrugas suíço ou uma Coca-Cola, comprar constitui uma parte enorme de nossas vidas quotidianas. E é por isso que, todo dia, somos bombardeados por dúzias, se não centenas, de mensagens de publicitários e anunciantes. Comerciais de tevê. *Outdoors*. *Banners* na internet. Vitrines de centros comerciais. Marcas, e informações sobre marcas, chegam até nós constantemente, em alta velocidade e de todas as direções. Como é possível esperar que nos lembremos de alguma parte do volume infinito de publicidade a que somos expostos diariamente? O que determina qual informação chega até a nossa consciência, e o que vai parar no depósito de lixo industrial do nosso cérebro, cheio de anúncios de fraldas esquecidos na mesma hora e de outras situações de consumo igualmente pouco memoráveis?

A esta altura, não posso deixar de me lembrar de uma das minhas numerosas estadias em hotéis. Ao entrar num quarto de hotel em uma cidade estranha, jogo imediatamente a chave ou o cartão do meu quarto em algum lugar e, um milésimo de segundo depois, já esqueci onde o coloquei. Esse dado simplesmente desaparece do disco rígido do meu cérebro. Por quê? Porque, eu estando consciente desse fato ou não, meu cérebro está processando simultaneamente vários outros tipos de informação — em que cidade e fuso horário estou, quanto tempo tenho até o próximo compromisso, quando comi algo pela última vez — e, com a capacidade limitada da nossa memória de curto prazo, a localização da chave do meu quarto simplesmente não é um dos dados selecionados.

A questão é que o nosso cérebro está constantemente ocupado coletando e filtrando informações. Algumas partículas de informação chegarão até o armazenamento de longo prazo — em outras palavras, a memória —, mas a maior parte se tornará entulho irrelevante, relegado ao esquecimento. Esse processo é inconsciente e instantâneo, mas acontece a cada segundo de cada minuto de cada dia.

Esta é uma pergunta que já me fizeram várias vezes: por que me dei o trabalho de escrever um livro sobre neuromarketing? Afinal, comando várias empresas, viajo o tempo todo pelo mundo aconselhando altos executivos — no fim das contas, só passo sessenta dias do ano em casa! Então, por que tirei tempo da minha agenda tão apertada para lançar o mais abrangente estudo já realizado nessa área? Porque, no meu trabalho de consultoria a empresas sobre como construir marcas melhores e duradouras, descobri que a maioria das marcas que existem hoje equivale a chaves de quartos de hotel. Parafraseando canhestramente meu conterrâneo Hamlet, percebi que havia algo de podre no reino da publicidade. Produtos demais estavam tropeçando, patinando ou mal saindo da linha de partida. Os métodos de pesquisa tradicionais não estavam funcionando. Como consultor de *branding*, isso me incomodava a ponto de se tornar uma obsessão. Eu queria descobrir por que os consumidores eram atraídos por uma certa marca de roupas, um dado modelo de carro, um tipo específico de creme de barbear, xampu ou chocolate. Percebi que a resposta está em alguma parte do cérebro. E eu acreditava que, se conseguisse desvendá-lo, esse enigma poderia não apenas ajudar a moldar o futuro da publicidade, mas também revolucionaria a maneira como todos nós pensamos e nos comportamos como consumidores.

No entanto, eis a ironia: como consumidores, não podemos fazer essas perguntas a nós mesmos porque, na maioria das vezes, não sabemos as respostas. Se você me perguntasse se deixei a chave do meu quarto em cima da cama, na cômoda, no banheiro ou embaixo do controle remoto da televisão, eu não teria a menor ideia, pelo menos não conscientemente. O mesmo se aplica à razão pela qual comprei aquele iPod Nano, um relógio Casio, um chá com leite no Starbucks ou um jeans Diesel. Não faço ideia. Simplesmente comprei.

Mas se os profissionais de marketing conseguissem descobrir o que está acontecendo em nossos cérebros para nos fazer escolher uma marca e não outra — que informações passam ou não pelo filtro do nosso cérebro —, basicamente essa seria a chave para construir as marcas do futuro. E é por isso que embarquei no que se revelaria uma jornada de três anos de duração, com um custo de milhões de dólares, pelo mundo dos consumidores, das marcas e da ciência.

Como você vai ler, logo percebi que o neuromarketing, um intrigante casamento do marketing com a ciência, era a janela para a mente humana que esperávamos havia tanto tempo. O neuromarketing é a chave para abrir o que chamo de nossa "lógica de consumo" — os pensamentos, sentimentos e desejos subconscientes que impulsionam as decisões de compra que tomamos em todos os dias de nossas vidas.

Admito que a ideia de uma ciência que pode espiar dentro da mente humana deixa muita gente com calafrios. Quando ouvimos as palavras "rastreamento cerebral", nossa imaginação desliza para a paranoia. Parece o cúmulo da intrusão, um gigantesco e sinistro *voyeur*, um par de óculos de raios X espionando nossos pensamentos e sentimentos mais íntimos.

Uma organização conhecida como Commercial Alert, que apresentou um pedido ao Congresso para pôr um fim ao neuromarketing, afirma que o rastreamento cerebral existe para "subjugar a mente e usá-la para obter ganhos comerciais". Em uma carta a James Wagner, presidente da Universidade Emory (o departamento de neurociência da Emory foi apelidado de "epicentro do mundo do neuromarketing"), a organização perguntava o que aconteceria se um neurocientista especialista em dependência usasse o seu conhecimento para "induzir desejos incontroláveis, mediante esquemas relacionados a determinados produtos". A organização indaga, em uma petição enviada ao Senado dos EUA, se seria possível usar esse conhecimento na propaganda política, "potencialmente gerando novos regimes totalitários, lutas civis, guerras, genocídio e incontáveis mortes".[1]

Embora eu tenha enorme respeito pela Commercial Alert e suas opiniões, acredito piamente que elas são injustificadas. É claro, como no caso de qualquer nova tecnologia, o neuromarketing traz consigo o potencial para o abuso, e, com isso, uma responsabilidade ética. Levo essa responsabilidade muito a sério porque, afinal, também sou um consumidor e a última coisa que quero fazer é ajudar as empresas a nos manipular ou a controlar nossas mentes.

Mas não acredito que o neuromarketing seja um instrumento insidioso de governos corruptos ou anunciantes desonestos. Acredito que seja simplesmente uma ferramenta, como um martelo. Sim: nas mãos erradas, um martelo pode ser usado para arrebentar a cabeça de alguém, mas esse não é o seu propósito, e isso não significa que os martelos devem ser banidos, confiscados ou proibidos. O mesmo vale para o neuromarketing. Trata-se simplesmente de um instrumento usado para nos ajudar a decodificar o que nós, consumidores, já estamos pensando ao sermos confrontados por um produto ou marca, e que às vezes até nos ajuda a desvendar métodos desleais usados por publicitários para nos seduzir e trair sem que nem tenhamos conhecimento. Não é minha intenção ajudar as empresas a usar o rastreamento cerebral para controlar a mente dos consumidores ou para nos transformar em robôs. Em algum momento, num futuro distante, talvez haja pessoas que usem essa ferramenta da maneira errada. Mas tenho esperança de que a grande maioria das pessoas irá manejar esse mesmo instrumento para o bem: para entender melhor a nós mesmos — nossos desejos, impulsos e motivações — e usar esse conhecimento para propósitos benéficos e práticos. (E, se você me perguntar, seriam tolos se não o fizessem.)

No que acredito? Acredito que, entendendo melhor o nosso comportamento aparentemente irracional — seja o motivo para comprar uma camisa de grife ou o modo como avaliamos um candidato a um emprego —, podemos realmente obter *mais* controle, e não menos. Porque quanto mais soubermos dos motivos que nos tornam presas dos truques e táticas dos anunciantes, maior será a nossa chance de nos defender deles. E quanto mais as empresas souberem a respeito das nossas necessidades e desejos subconscientes, mais produtos úteis e significativos elas introduzirão no mercado. Afinal, não é do interesse dos publicitários fornecer produtos pelos quais nos apaixonemos? Coisas que nos envolvam emocionalmente e melhorem nossas vidas? Visto sob esse prisma, o rastreamento cerebral, usado de forma ética, acabará beneficiando a todos nós. Imagine mais produtos que geram mais dinheiro e, ao mesmo tempo, satisfazem os consumidores. Essa é uma boa combinação.

Até hoje, a única maneira para que as empresas pudessem entender o que os consumidores queriam era observando-os ou perguntando a eles diretamente. Não é mais assim que acontece. Pense no neuromarketing como um dos três círculos sobrepostos de um diagrama de Venn. Esse diagrama foi criado em 1881 por John Venn, um lógico e filósofo inglês de uma família evangélica bastante prática. Usado geralmente em um ramo da matemática conhecido como teoria dos conjuntos, o diagrama de Venn mostra todas as relações possíveis entre vários conjuntos diferentes de elementos abstratos. Em outras palavras, se um dos círculos representasse, digamos, homens, enquanto o outro representasse cabelos escuros e o terceiro, bigodes, a interseção no centro representaria homens de cabelos escuros e bigode.

Mas, se você pensar em dois círculos em um diagrama de Venn representando dois ramos da pesquisa tradicional em marketing — quantitativa e qualitativa —, está na hora de abrir espaço para um novato: o neuromarketing. E na interseção desses três círculos reside o futuro do marketing: a chave para entender verdadeira e completamente os pensamentos, sentimentos, motivações, necessidades e desejos dos consumidores, de todos nós.

É claro, o neuromarketing não é a resposta para tudo. Por ser uma ciência recente, está limitado por nossa compreensão ainda restrita do cérebro humano. Mas a boa notícia é que o entendimento de como a mente inconsciente impulsiona o nosso comportamento está aumentando; hoje, alguns dos principais pesquisadores em todo o mundo estão fazendo importantes incursões nessa fascinante ciência. No fim das contas, vejo este livro — baseado no maior estudo de neuromarketing do seu gênero — como minha própria contribuição para esse crescente conjunto de conhecimento. (Algumas das minhas descobertas podem ser questionadas, e dou as boas-vindas ao que, acredito, resultará em um importante diálogo.) Embora nada na ciência possa ser considerado a palavra final, acredito que *A lógica do consumo* é o início de uma investigação radical e intrigante sobre por que compramos. Uma contribuição que, se eu tiver atingido meu objetivo, derrubará muitos dos mitos, pressupostos e crenças que todos temos há muito tempo sobre o que aguça nosso interesse por um produto e o que nos afasta dele. Portanto, espero que você goste do livro, aprenda com ele e chegue ao seu final entendendo melhor a nossa "lógica de consumo" — a miríade de forças subconscientes que nos motivam a comprar.

1
UM AFLUXO DE SANGUE PARA A CABEÇA
O maior estudo de neuromarketing já realizado

Não era de surpreender que os fumantes estivessem tensos, irrequietos, sem saber ao certo o que esperar.

Mal notando a chuva e o céu encoberto, eles se aglomeravam fora do edifício que abriga, em Londres, Inglaterra, o Centro de Ciências de Neuroimagem. Alguns descreviam a si mesmos como fumantes sociais — um cigarro pela manhã, um segundo durante a hora do almoço, talvez mais uma meia dúzia caso saíssem para farrear com os amigos à noite. Outros confessavam ser dependentes havia muito tempo, fumando dois maços por dia. Todos eles juravam fidelidade a uma única marca, fosse ela Marlboro ou Camel. Seguindo as regras do estudo, eles sabiam que não poderiam fumar nas próximas quatro horas, então estavam ocupados armazenando o máximo possível de alcatrão e nicotina em seus organismos. Entre um trago e outro, trocavam isqueiros, fósforos, anéis de fumaça, apreensões: "Será que vai doer? George Orwell teria adorado isto. Será que a máquina pode mesmo ler a minha mente?"

Dentro do edifício, o cenário era, como convém a um laboratório médico, asséptico, prático e confortadoramente sem alma — frios corredores brancos e portas em tons de cinza-escuro. À medida que o estudo avançava, tomei meu lugar atrás de uma grande janela de vidro, dentro de uma cabine de controle que lembrava um *cockpit* de avião, no meio de um monte de escrivaninhas, equipamentos digitais, três computadores enormes e um punhado de pesquisadores de jaleco branco. Eu estava olhando para uma sala dominada por um aparelho de IRMf (Imagem por Ressonância Magnética funcional), uma enorme máquina de quatro milhões de dólares que mais parece uma gigantesca rosca esculpida, acrescida de uma língua muito longa e fixa. Sendo a mais avançada técnica de rastreamento cerebral disponível atualmente, o IRMf mede as propriedades magnéticas da hemoglobina, componente nos glóbulos vermelhos do sangue que transportam oxigênio pelo corpo. Em outras palavras, o IRMf mede a quantidade de sangue oxigenado no cérebro e pode identificar com precisão até uma área de apenas um milímetro. Ao realizar uma tarefa específica, o cérebro requer mais combustível — principalmente oxigênio e glicose. Portanto, quanto mais uma certa região do cérebro estiver trabalhando, maior será o consumo de combustível e o fluxo de sangue oxigenado para aquela região. Portanto, durante o exame no IRMf, quando uma parte do cérebro está sendo usada, aquela região se acende em vermelho-fogo. Ao rastrear essa ativação, os neurocientistas podem determinar que áreas específicas do cérebro estão trabalhando num determinado momento.

Os neurocientistas normalmente usam esse instrumento de 32 toneladas e do tamanho de um carro de passeio para diagnosticar tumores, derrames, lesões nas juntas e outras afecções que frustram o desempenho de raios X e tomógrafos computadorizados. Os neuropsiquiatras perceberam que o IRMf seria útil para esclarecer certas doenças psiquiátricas de tratamento difícil, dentre as quais psicoses, sociopatia e distúrbio bipolar. Mas aqueles fumantes tragando, batendo papo e circulando na sala de espera não estavam doentes nem sofriam de distúrbio algum. Junto com uma amostragem semelhante de fumantes nos Estados Unidos, eles foram cuidadosamente selecionados para participar de um revolucionário estudo de neuromarketing, e me ajudavam a chegar ao fundo de um mistério que pasmava profissionais de saúde, fabricantes de cigarros, fumantes e não fumantes havia décadas.

Durante muito tempo, notei que as advertências posicionadas de forma proeminente nas embalagens de cigarros pareciam surtir um efeito estranhamente pequeno nos fumantes, se é que surtiam algum. *Fumar causa câncer de pulmão. Fumar causa enfisema. Fumar durante a gravidez causa malformações no feto.* Frases bastante diretas. Difíceis de contradizer. E as advertências norte-americanas são as mais brandas. Os fabricantes de cigarros europeus colocam suas advertências dentro de molduras espessas e negras como carvão, tornando-as ainda mais difíceis de serem ignoradas. Em Portugal, reduzindo o dromedário dos maços de Camel a um anão, estão escritas palavras que até uma criança pode entender: *Fumar mata*. Mas nada chega perto das advertências nos maços de cigarro do Canadá, Tailândia, Austrália, Brasil — e, em breve, do Reino Unido. São imagens coloridas assustadoras e minuciosamente realistas de pulmões cancerosos, de pés e artelhos com gangrena, bem como das feridas abertas e dos dentes em decomposição que acompanham os cânceres de boca e garganta.

Você poderia imaginar que essas imagens explícitas deteriam a maioria dos fumantes. Então, por que, em 2006, apesar de proibidas as propagandas de cigarro, das advertências diretas e frequentes por parte da comunidade médica e do investimento maciço dos governos em campanhas antitabagismo, os consumidores ao redor do mundo continuaram a fumar astronômicos 5,763 bilhões de cigarros, uma cifra que não inclui cigarros isentos de impostos ou o enorme mercado negro internacional? (Uma vez, em uma loja de conveniência australiana, ouvi o atendente perguntar a um fumante: "Quer o maço com a foto dos pulmões, do coração ou dos pés?" Indaguei ao atendente quantas vezes aquilo acontecia. "Cinquenta por cento das vezes que os clientes pedem cigarros", ele me disse.) Apesar do que sabemos hoje sobre o tabagismo, estima-se que cerca de um terço dos homens adultos em todo o mundo continue a fumar. Aproximadamente 15 bilhões de cigarros são vendidos a cada dia — ou seja, dez milhões de cigarros vendidos por minuto. Na China, onde milhões de fumantes desavisados acreditam que fumar pode curar o mal de Parkinson, aliviar sintomas da esquizofrenia, aumentar a eficácia das células cerebrais e melhorar o desempenho no trabalho, mais de trezentos milhões de pessoas,[1] dentre as quais 60% dos médicos do sexo masculino, fumam. Com vendas anuais de 1,8 trilhão de cigarros, o monopólio chinês é responsável por aproximadamente um terço de todos os cigarros consumidos na Terra hoje[2] — uma grande porcentagem do 1,4 bilhão de pessoas que fumam, uma cifra que, segundo as projeções do Banco Mundial, deverá aumentar para cerca de 1,6 bilhão até 2025 (embora a China consuma mais cigarros do que os Estados Unidos, Rússia, Japão e Indonésia juntos).

No mundo ocidental, a dependência de nicotina ainda é uma enorme preocupação. O tabagismo é a maior causa de morte na Espanha atualmente, com cinquenta mil falecimentos relacionados ao fumo por ano. No Reino Unido, aproximadamente um terço de todos os adultos com menos de 65 anos fuma, ao passo que cerca de 42% das pessoas abaixo dessa idade estão expostas ao tabagismo em casa.[3] O número de britânicos que morreram por causa do cigarro é 12 vezes maior do que o número de pessoas dessa nacionalidade mortas na Segunda Guerra Mundial. De acordo com a Associação Americana do Pulmão, doenças relacionadas ao tabagismo afetam cerca de 438 mil vidas por ano nos Estados Unidos, "incluindo aquelas afetadas indiretamente, como bebês nascidos prematuros devido ao tabagismo pré-natal materno e vítimas da exposição passiva aos carcinógenos do tabaco". Os custos médicos só nos Estados Unidos? Mais de US$167 bilhões ao ano.[4] E mesmo assim os fabricantes de cigarros continuam criando novas maneiras de nos matar. Por exemplo, a mais recente arma da Philip Morris contra a proibição do fumo nos locais de trabalho é o Marlboro Intense, um cigarro menor, com alto teor de alcatrão — vale por sete tragadas — e que pode ser consumido em escapadelas entre reuniões, telefonemas e apresentações em PowerPoint.[5]

Não faz sentido. Os fumantes são seletivamente cegos em relação a imagens de advertência? Será que pensam: "*Sim, mas sou a exceção à regra*"? Estão fazendo uma enorme bravata contra o mundo? Acreditam secretamente que são imortais? Ou será que conhecem os perigos que o cigarro traz à saúde e simplesmente não estão nem aí?

Era isso que eu esperava descobrir utilizando a tecnologia do IRMf. Aqueles 32 fumantes do estudo estavam entre os 2.081 voluntários vindos dos Estados Unidos, Inglaterra, Alemanha, Japão e China que recrutei para o maior e mais revolucionário experimento de neuromarketing da História.

Aquele estudo era 25 vezes maior do que qualquer outro na área de neuromarketing realizado até então. Usando as ferramentas científicas mais avançadas que estavam à disposição, a experiência revelou as verdades ocultas por trás do modo como as mensagens de *branding* e marketing funcionam no cérebro humano, como o nosso eu mais verdadeiro reage a estímulos em um nível muito mais profundo que o pensamento consciente e como a mente inconsciente controla o nosso comportamento (geralmente o contrário de como *pensamos* que nos comportamos). Em outras palavras, iniciei uma jornada para investigar alguns dos maiores enigmas e problemas com os quais se defrontam consumidores, empresas, anunciantes e governos nos dias de hoje.

Por exemplo: o merchandising realmente funciona? (A resposta, descobri, é um retumbante não.) Que força têm as logomarcas? (Aroma e som são mais poderosos do que qualquer logo por si só.) Publicidade subliminar ainda ocorre? (Sim, e ela provavelmente teve influência sobre o que você escolheu na loja de conveniência no outro dia.) O nosso comportamento de consumo é afetado pelas maiores religiões do mundo? (Sem dúvida, e cada vez mais.) Que efeito os avisos e advertências de saúde surtem em nós? (Continue lendo.) Será que o sexo na publicidade funciona (na verdade, não) e será que poderia se tornar mais explícito do que já é? (Espere para ver.)

Iniciado em 2004, o nosso estudo consumiu, do início ao fim, quase três anos da minha vida, custou aproximadamente sete milhões de dólares (fornecidos por oito empresas multinacionais), abrangeu vários experimentos e envolveu milhares de pessoas vindas do mundo todo para servir de objeto de estudo, bem como duzentos pesquisadores, dez professores universitários e doutores e uma comissão de ética. E lançou mão de dois dos mais sofisticados instrumentos de rastreamento cerebral do mundo: o IRMf e uma versão avançada do eletroencefalograma chamada TEE, abreviatura de *topografia de estado estável*, que rastreia ondas cerebrais rápidas em tempo real. A equipe de pesquisa foi supervisionada pela dra. Gemma Calvert, catedrática de Neuroimagem Aplicada da Universidade de Warwick, Inglaterra, e fundadora da Neurosense em Oxford, e pelo professor Richard Silberstein, executivo-chefe da Neuro-Insight na Austrália. E quais foram os resultados? Bem, por enquanto direi apenas que eles vão transformar a sua visão de como e por que você compra.

MARLENE, UMA DAS FUMANTES NO ESTUDO, posicionou-se deitando de costas dentro do IRMf. A máquina emitiu um pequeno tique enquanto a plataforma se erguia e parava na posição certa. Marlene parecia um pouco hesitante — e quem não pareceria? —, mas conseguiu dar um sorriso confiante enquanto um técnico colocava a bobina protetora sobre a maior parte do seu rosto, preparando-se para o primeiro rastreamento cerebral do dia.

Pelo questionário e a entrevista feitos antes do exame, soube que Marlene tinha dois filhos, se divorciara recentemente, morava em Middlesex e que havia começado a fumar no internato, 15 anos antes. Ela não se via tanto como uma dependente de nicotina, e sim uma "fumante social", ou seja, fumava apenas alguns "cigarrinhos" durante o dia, e mais oito ou dez à noite.

"Você é afetada pelas advertências nos maços de cigarro?", perguntava o questionário.

"Sim", Marlene havia escrito, girando a caneta entre os dedos como se estivesse prestes a acendê-la.

"Você está fumando menos por causa dessas advertências?"

Outro sim. Mais uma vez a caneta foi girada entre seus dedos. Nunca fui um fumante, mas percebi seu sofrimento.

Suas respostas na entrevista foram bastante claras, mas era chegada a hora de entrevistar seu cérebro. Para quem nunca foi submetido a uma ressonância magnética, eu não diria que esse exame é a experiência mais relaxante ou agradável do mundo. A máquina é barulhenta, ficar deitado e imóvel é entediante e, se você tem tendência a ataques de pânico ou de claustrofobia, pode parecer que está sendo enterrado vivo em uma cabine telefônica. Uma vez lá dentro, o melhor é ficar num estado de calma meditativa. Respire. Inspire, expire, inspire de novo. Você pode piscar e engolir, mas é melhor ignorar aquela coceira no tornozelo esquerdo, por pior que seja. Um tique, um espasmo, uma agitação, uma careta, uma torção do corpo — o menor movimento pode comprometer os resultados. Alianças, pulseiras, colares, anéis ou *piercings* também devem ser retirados previamente. Devido ao forte magneto da máquina, qualquer pedaço de metal seria arrancado tão rapidamente que você nem saberia o que tinha acabado de acertar o seu olho.

Marlene ficou dentro do aparelho por pouco mais de uma hora. Um pequeno aparato refletor, parecido com o espelho retrovisor de um carro, projetava uma série de imagens de advertência sobre cigarros em vários ângulos sobre uma tela próxima. Quando tinha de indicar a intensidade do seu desejo de fumar durante a apresentação dos slides, Marlene apertava uma botoeira — um pequeno console preto semelhante a um acordeão — à medida que as imagens iam sendo exibidas.

Continuamos a realizar rastreamentos do cérebro de outras pessoas durante mais um mês e meio.

Cinco semanas mais tarde, a líder da equipe, a dra. Calvert, me apresentou os resultados. Fiquei aturdido, para não dizer coisa pior. Até a doutora ficou surpresa com as descobertas: as imagens de advertência nas laterais, na frente e no verso dos maços de cigarros não surtiam efeito algum na supressão do desejo dos fumantes. Zero. Em outras palavras, todas aquelas fotografias repulsivas, regulamentações governamentais e bilhões de dólares que 123 países investiram em campanhas antitabagismo se tornaram, no final, um grande desperdício de dinheiro.

"Você tem *certeza*?", eu continuava a perguntar.

"Certeza absoluta", respondia ela, acrescentando que a validade estatística era a mais sólida possível.

Mas isso não representou nem metade da surpresa que a dra. Calvert teve quando analisou os resultados mais a fundo. As advertências sobre cigarros — seja informando sobre o risco de contrair enfisema, doenças cardíacas ou uma série de outras afecções crônicas — haviam na verdade *estimulado* uma área do cérebro dos fumantes chamada *nucleus accumbens*, também conhecida como "ponto do desejo". Essa região é um elo na malha de neurônios especializados que se acendem quando o corpo deseja algo — seja álcool, drogas, tabaco, sexo ou apostas. Quando estimulado, o *nucleus accumbens* exige doses cada vez mais altas para ser aplacado.

Em suma, os resultados do IRMf mostraram que as imagens de advertência sobre cigarros não apenas fracassavam em desestimular o fumo, mas, ao ativarem o *nucleus accumbens*, aparentemente *encorajavam* os fumantes a acender um cigarro. Não pudemos deixar de concluir que aquelas mesmas imagens de advertência sobre cigarros que visavam limitar o fumo, reduzir a incidência de câncer e salvar vidas haviam, pelo contrário, se tornado um assustador instrumento de marketing para a indústria do tabaco.

A maioria dos fumantes respondeu que achava que as imagens de advertência funcionavam — talvez porque acreditassem que aquela fosse a resposta certa, fosse o que os pesquisadores queriam ouvir ou então porque se sentiam culpados, pois sabiam o que o cigarro estava fazendo com sua saúde. No entanto, como a dra. Calvert concluiu mais tarde, os nossos voluntários não se sentiam envergonhados pelo que o cigarro estava fazendo com seu corpo; sentiam-se culpados porque aquelas imagens estimulavam as áreas de seu cérebro ligadas ao desejo. Sua mente consciente simplesmente não conseguia estabelecer a diferença. Marlene não estava mentindo quando respondeu o questionário. Mas seu cérebro — a área mais honesta de todas — a havia desmentido retumbantemente. Do mesmo modo como o cérebro de cada um de nós faz todo dia.

Os resultados dos estudos suplementares sobre as imagens cerebrais que realizei foram tão provocadores, fascinantes e polêmicos quanto o do projeto de pesquisa sobre cigarros. Um a um, eles me aproximaram de um objetivo que eu havia me proposto a alcançar: derrubar alguns dos pressupostos, mitos e crenças mais antigos sobre que tipos de publicidade, *branding* e embalagens realmente estimulam o nosso interesse e nos incentivam a comprar. Se eu conseguisse ajudar a desvendar as forças subconscientes que estimulam os nossos interesses e, em última instância, nos fazem abrir a carteira, o estudo daquelas imagens cerebrais comporia os três anos mais importantes da minha vida.

NO QUE DIZ RESPEITO À MINHA profissão, sou um especialista em *branding* global. Ou seja, durante toda a minha vida, minha missão (e paixão) tem sido descobrir como os consumidores raciocinam, por que compram certos produtos ou não — e o que os profissionais de marketing e anunciantes podem fazer para dar nova vida a produtos que estão com problemas, encalhados, em declínio ou que simplesmente são fracos desde o início.

Se você olhar em volta, é bastante provável que encontre rastros da minha atividade de *branding* por toda a sua casa ou apartamento, desde os produtos que estão guardados debaixo da pia da cozinha até o chocolate que você guarda na gaveta da escrivaninha, passando pelo telefone ao lado da cama, o creme de barbear no banheiro e o carro que está estacionado na garagem. Talvez eu tenha ajudado a criar a marca do controle remoto da sua tevê. Do café que você engoliu esta manhã. Do hambúrguer e das batatas fritas que você pediu semana passada. Do software de seu computador. Da sua máquina de café expresso. Da sua pasta de dentes. Do seu xampu anticaspa. Do seu protetor labial. Da sua roupa íntima. Ao longo dos anos que tenho feito esse trabalho, já ajudei a criar marcas de desodorantes, produtos de higiene feminina, alto-falantes para iPod, cervejas, motocicletas, perfumes, ovos da Arábia Saudita — e a lista continua. Sendo um especialista em *branding* e em previsão do futuro das marcas (ou seja, a experiência que acumulei viajando pelo mundo me dá uma visão abrangente das prováveis tendências de consumo e publicidade futuras), eu e meus colaboradores somos considerados pelo mercado uma espécie de ambulância para marcas, uma equipe de intervenções em empresas em crise.

Digamos que a sua cara linha de água mineral vinda de "fontes de cristalinas torrentes montanhosas e poços artesianos ricos em sílica" está em maus lençóis. A empresa quer que os consumidores acreditem que a água é engarrafada por elfos afundados até as canelas em fiordes, e não dentro de uma grande fábrica à beira de uma autoestrada em Nova Jersey, mas, de qualquer forma, a sua participação de mercado está caindo e ninguém na empresa sabe o que fazer. Eu vou começar a cavar. Qual é o segredo do produto? O que o destaca? Existem histórias, rituais ou mistérios que os consumidores associam a ele? Se não, podemos pesquisar e achar algum? Será que o produto pode, de alguma maneira, quebrar a barreira bidimensional da publicidade apelando para outros sentidos nos quais a empresa ainda não pensou? Olfato, tato, audição? O som que a tampa emite ao ser aberta? Um insinuante canudinho rosa? A campanha publicitária é ousada, engraçada e arriscada, ou é tão chata e irrelevante quanto a de todas as outras empresas?

Como viajo muito, posso ver qual é o desempenho das marcas em todo o mundo. Estou dentro de um avião quase trezentos dias por ano, fazendo apresentações, análises e discursos. Se for terça-feira, posso estar em Bombaim. No dia seguinte, São Paulo. Ou Dublin, Tóquio, Edimburgo, San Francisco, Atenas, Lima, Sri Lanka ou Xangai. Mas minha atribulada agenda de viagens é uma vantagem que posso oferecer a equipes que geralmente estão ocupadas demais até mesmo para sair do próprio prédio para almoçar, quanto mais para ir visitar uma loja no Rio de Janeiro, Amsterdã ou Buenos Aires a fim de observar seus produtos em ação.

Já me disseram uma infinidade de vezes que minha aparência é tão pouco convencional quanto minha profissão. Aos 38 anos, tenho cerca de 1,73m e sou abençoado — ou amaldiçoado — por um rosto de aparência extremamente jovial e pueril. A desculpa que criei ao longo dos anos é que cresci na Dinamarca, onde fazia tanto frio o tempo todo que o clima congelou a minha aparência. Minhas feições, meus cabelos louros penteados para trás e o hábito de me vestir inteiramente de preto dão a muitas pessoas a impressão de que sou uma espécie de estranho evangelista mirim, ou talvez um adolescente precoce e ligeiramente tenso que se perdeu a caminho do laboratório de ciências e acabou indo parar, por engano, na sala de reuniões da diretoria de alguma empresa. Já me acostumei com isso ao longo dos anos. Acho que poderia dizer que foi algo que evoluiu e se tornou minha marca.

Então, como é que, de repente, eu me encontrava olhando pela janela de um asséptico laboratório médico, em uma universidade inglesa encharcada pela chuva, enquanto voluntário após voluntário era submetido a um exame de rastreamento cerebral por IRMf?

Em 2003, havia ficado bastante claro para mim que os métodos tradicionais de pesquisa, como pesquisas de mercado e discussões de grupo, não cumpriam mais a tarefa de descobrir o que os consumidores *realmente* pensam. E isso acontece porque nossa mente irracional, inundada por questões culturais arraigadas em nossa tradição, criação e muitos outros fatores subconscientes, exerce uma influência poderosa, mas oculta, sobre as escolhas que fazemos. Como Marlene e todos os outros fumantes que disseram que as advertências sobre cigarros os desestimulavam a fumar, podemos *achar* que sabemos o motivo pelo qual fazemos o que fazemos, mas uma inspeção mais minuciosa do cérebro nos diz outra coisa.

Pense a respeito. Como seres humanos, gostamos de nos considerar uma espécie racional. Nós nos alimentamos e nos vestimos. Vamos trabalhar. Lembramos de diminuir o termostato à noite. Fazemos *downloads* de músicas. Vamos à academia de ginástica. Administramos crises — prazos perdidos, uma criança que cai da bicicleta, um amigo que fica doente, a morte de um de nossos pais etc. — de maneira adulta e centrada. Esse, pelo menos, é o nosso objetivo. Se um parceiro ou colega nos acusa de agir irracionalmente, ficamos um pouco ofendidos. Seria como se tivesse nos acusado de insanidade temporária.

Mas, gostando ou não, todos nós nos comportamos de maneiras que não têm nenhuma explicação lógica ou simples. Isso tem acontecido como nunca em nosso mundo cheio de tecnologia e estresse, no qual notícias de ameaças terroristas, atritos políticos, incêndios, terremotos, enchentes, violência e vários outros desastres nos acometem desde o momento em que sintonizamos o jornal da manhã até a hora em que vamos dormir. Quanto maior é o estresse a que somos submetidos, maior é o medo, a insegurança e a dúvida que sentimos — e maior é a probabilidade de nos comportarmos irracionalmente.

Por exemplo, pense em quantas superstições governam nossas vidas. Batemos na madeira para ter sorte. (Já estive em salas de reunião nas quais, caso não houvesse madeira por perto, os executivos procuravam, desamparados, por algum substituto. Uma pasta serve? Um lápis? E quanto ao assoalho?) Não passamos embaixo de escadas. Cruzamos os dedos para ter sorte. Preferimos não voar numa sexta-feira 13 ou passar por uma rua em que vimos um gato preto entre os arbustos na semana anterior. Se quebramos um espelho, pensamos: "Pronto, sete anos de azar." É claro que, se você perguntar, a maioria das pessoas dirá: "Não, não seja ridículo, não dou o menor crédito a nenhuma dessas superstições fúteis." Ainda assim, a maioria de nós continua a agir de acordo com elas todos os dias.

Sob estresse (ou mesmo quando está tudo correndo bastante bem), as pessoas tendem a dizer uma coisa enquanto seu comportamento sugere algo totalmente diferente. Nem preciso dizer que isso é um desastre no campo das pesquisas de mercado, o qual depende da precisão e honestidade dos consumidores. Mas, em 85% das vezes, nosso cérebro está ligado no piloto automático. Na verdade, não temos a intenção de mentir — mas o fato é que a mente inconsciente interpreta o nosso comportamento muito melhor do que a mente consciente, incluindo os motivos pelos quais compramos algo.

O conceito de construção de marca existe há aproximadamente um século. Mas os publicitários ainda não sabem muito mais do que John Wanamaker, pioneiro das lojas de departamento, sabia um século atrás, quando fez sua notória declaração: "Metade do meu orçamento de propaganda é desperdiçado. O problema é que não sei que metade é essa." As empresas muitas vezes não sabem o que fazer para nos cativar de verdade, em vez de meramente atrair nossa atenção. Não estou dizendo que as empresas não são espertas, ao contrário. Algumas, como as de cigarros, são *assustadoramente* espertas. Mas a maioria ainda não consegue responder a uma pergunta básica: o que nos impulsiona, como consumidores, a fazer as escolhas que fazemos? O que nos faz escolher uma marca ou um produto em detrimento de outro? O que os consumidores estão realmente pensando? E como ninguém consegue dar uma resposta decente a essas perguntas, as empresas seguem em frente usando as mesmas estratégias e técnicas que sempre usaram. Os profissionais de marketing, por exemplo, ainda estão usando os mesmos métodos de sempre: uma pesquisa quantitativa — que envolve entrevistas com inúmeros voluntários a respeito de uma ideia, conceito, produto ou até mesmo um tipo de embalagem —, seguida de uma pesquisa qualitativa, que se concentra com mais intensidade em discussões com grupos menores, cuidadosamente escolhidos naquela mesma população. Em 2005, as empresas gastaram mais de US$7,3 bilhões em pesquisas de mercado apenas nos Estados Unidos. Em 2007, essa cifra subiu para US$12 bilhões. E aí nem estão incluídas as despesas adicionais referentes à comercialização própria de um produto — embalagens e expositores, comerciais de tevê, propagandas on-line, depoimentos de celebridades e *outdoors* —, que carregam a marca de US$117 bilhões somente nos Estados Unidos.

Mas se essas estratégias ainda funcionam, por que oito em cada dez novos produtos lançados fracassam nos três primeiros meses? (No Japão, são 9,7 em cada dez produtos lançados.) O que sabemos agora, e o que você vai ler nas páginas a seguir, é que aquilo que as pessoas dizem nas pesquisas e nas discussões de grupos *não* afeta realmente o comportamento delas, longe disso. Vejamos um exemplo. Uma mãe moderna tem hoje em dia cada vez mais medo de "germes" e se preocupa cada vez mais com "segurança" e "saúde". Nenhuma mulher em sã consciência quer acidentalmente ingerir a bactéria *E. coli* ou pegar uma infecção de garganta, assim como também não quer que seus filhos sejam contaminados. Então, o departamento de pesquisa de uma empresa desenvolve uma pequena ampola de algum bactericida — vamos chamá-lo de "Pure-Al" —, que as mulheres podem colocar na bolsa e tirar rapidamente para espalhar nas mãos depois de um dia num escritório sufocante, no apartamento imundo de uma amiga ou em um vagão superlotado do metrô.

Mas será que o Pure-Al pode realmente inibir nossos temores a respeito de "germes" e "segurança"? Como os profissionais de marketing podem saber o que esses termos significam para a maioria de nós? Claro, existe um desejo humano básico de se sentir seguro e protegido, bem como uma aversão natural a corrimãos repletos de germes, academias de ginástica que são uma selva de bactérias e escritórios empoeirados. Mas, como os nossos questionários aplicados aos fumantes mostraram, nem sempre expressamos ou reagimos a esses sentimentos conscientemente; existe toda uma área de pensamento e sentimento que permanece fora do nosso alcance. O mesmo acontece com cada uma das emoções que vivenciamos, seja amor, simpatia, ciúme, raiva, repulsa e assim por diante.

Fatores ínfimos, que mal podem ser percebidos, podem causar um deslocamento nas respostas de uma discussão de grupo. Talvez uma mulher achasse que, sendo mãe de quatro filhos e dona de três cães e 17 lagartos, *deveria* se importar mais com germes, mas não quisesse admitir para as outras mulheres naquela sala que sua casa já é muito bagunçada. Ou talvez o chefe da equipe de pesquisa fizesse uma outra mulher se lembrar de um ex-namorado, que a trocou por sua melhor amiga, e isso denegrisse a imagem do produto (certo, é apenas uma possibilidade).

Talvez todas elas simplesmente odiassem o nariz dele.

A questão é: tente colocar *essas* microemoções em palavras ou tente escrever a respeito delas em uma sala cheia de estranhos. É impossível. É por isso que é mais provável que as verdadeiras reações e emoções que nós, como consumidores, vivenciamos sejam encontradas no cérebro, no intervalo de um nanossegundo antes que o pensamento seja convertido em palavras. Portanto, se quiserem conhecer a verdade nua e crua — a verdade, sem rodeios e sem censura, a respeito do que nos faz comprar —, os profissionais de marketing terão de entrevistar nossos cérebros.

Tudo isso constitui o motivo pelo qual, em 2003, me convenci de que havia algo muito errado com os métodos usados pelas empresas para tentar estabelecer contato com os consumidores, nós. As empresas simplesmente pareciam não entendê-los. Não conseguiam encontrar e desenvolver marcas que correspondessem às nossas necessidades. E também não tinham certeza de como se comunicar conosco de maneira que seus produtos cativassem nossas mentes e corações. Nenhum anunciante, estivesse ele comercializando cosméticos, medicamentos, fast-food, carros ou picles, ousava se destacar ou tentar algo remotamente novo ou revolucionário. Em termos de compreensão da mente do consumidor comum, eles estavam na mesma situação de Cristóvão Colombo em 1492: consultando um mapa rasgado, traçado à mão, enquanto o vento começava a soprar e seu barco seguia balançando, rumo ao que podia ou não ser terra firme.

Ao desvendar os segredos mais profundos do cérebro, eu não estava interessado em ajudar as empresas a manipular os consumidores — longe disso. Afinal, eu também compro um monte de coisas e, no final das contas, também sou tão suscetível a produtos e marcas quanto qualquer outra pessoa. Também quero dormir bem à noite, sabendo que fiz a coisa certa (ao longo dos anos, recusei projetos que, na minha opinião, ultrapassavam esse limite). Ao tentar lançar luz sobre o comportamento de consumo de mais de dois mil participantes, achei que poderia revelar as motivações mais profundas de nossa mente — e, talvez, fazer avançar a pesquisa cerebral ao mesmo tempo.

Estava na hora de jogar tudo para o alto para ver onde cairia, e depois começar tudo de novo. É aí que o nosso estudo de rastreamento cerebral entra em cena.

PARA MIM, TUDO COMEÇOU COM UMA matéria de capa da revista *Forbes*, "Em busca do botão Comprar", que li durante um típico voo de um dia inteiro. O artigo descrevia a atividade de um pequeno laboratório em Greenwich, Inglaterra, no qual um pesquisador de mercado se unira a um neurocientista cognitivo para espiar o interior do cérebro de oito mulheres jovens enquanto assistiam a um programa de tevê salpicado por meia dúzia de comerciais sobre produtos que iam desde chocolates Kit Kat à vodca Smirnoff, passando pelo carro Passat, da Volkswagen.

Usando uma técnica conhecida como TEE, que mede a atividade elétrica dentro do cérebro (e parece, como percebi mais tarde, uma touca de banho preta e molenga típica da década de 1920), o cientista e o pesquisador haviam se concentrado em uma sequência de linhas onduladas que avançavam pela tela de um computador, como se fossem duas cobras numa dança de acasalamento. Só que não eram cobras, mas ondas cerebrais, que o aparelho de TEE estava medindo a cada milissegundo, em tempo real, enquanto as voluntárias assistiam aos comerciais. Um pico abrupto no córtex pré-frontal de uma mulher podia indicar aos pesquisadores que ela achava os chocolates Kit Kat atraentes ou apetitosos. Uma queda acentuada mais tarde, e o neurologista podia deduzir que a última coisa que ela queria no mundo era um copo de Smirnoff com gelo.[6]

As ondas cerebrais, na calibragem do aparelho de TEE, são diretas. Não titubeiam, não se contêm, não são ambíguas, não cedem à pressão dos colegas, não escondem sua vaidade nem dizem o que acham que a pessoa do outro lado da mesa quer ouvir. Não; assim como o IRMf, o TEE mostrava a palavra final a respeito da mente humana. Não havia nenhuma outra técnica tão avançada disponível. Em outras palavras, a neuroimagem podia revelar as verdades que, depois de meio século de pesquisas de mercado, discussões de grupo e pesquisas de opinião, continuavam longe de ser descobertas.

Eu estava tão empolgado com o que estava lendo que quase apertei o botão de chamada para poder contar à comissária de bordo.

Como mencionei anteriormente, oito em cada dez produtos lançados nos Estados Unidos estão fadados ao fracasso. Em 2005, mais de 156 mil novos produtos chegaram às lojas em todo o mundo, o equivalente a um novo lançamento a cada três minutos.[7] Globalmente, segundo o IXP Marketing Group, cerca de 21 mil novas marcas são lançadas por ano em todo o mundo. No entanto, a história nos diz que quase todas desaparecem das prateleiras um ano depois.[8] Só entre os produtos de consumo, 52% das novas marcas e 75% dos produtos individuais fracassam.[9] São números bastante terríveis. Percebi que a neuroimagem poderia se concentrar nas marcas e produtos que tivessem maior possibilidade de sucesso, identificando os centros de recompensa dos consumidores e revelando quais estratégias de marketing ou publicidade eram mais estimulantes, atraentes ou memoráveis, e quais eram sem graça, repulsivas, aflitivas ou, o pior de tudo, esquecíveis.

A pesquisa de mercado não ia desaparecer, mas estava prestes a se juntar à mesa da neurociência e, enquanto isso, adotar um novo aspecto bem mais cerebral.

EM 1975, O WATERGATE AINDA ESTAVA escandalizando os Estados Unidos. Margaret Thatcher foi eleita líder do Partido Conservador na Grã-Bretanha. A tevê em cores estreava na Austrália. Bruce Springsteen lançou *Born to Run*. E executivos da Pepsi-Cola Company decidiram lançar uma experiência muito divulgada conhecida como "Desafio Pepsi". Era algo muito simples. Centenas de representantes da Pepsi armavam mesas em shoppings e supermercados de todo o mundo e distribuíam dois copos iguais para cada homem, mulher e criança que parasse para ver o porquê de toda aquela comoção. Um copo continha Pepsi; o outro, Coca-Cola. Perguntava-se qual bebida as pessoas preferiam. Se os resultados fossem os esperados, a Pepsi finalmente poderia dar o primeiro passo para acabar com a longa dominação da Coca-Cola no mercado de refrigerantes norte-americano, estimado em US$68 bilhões.

Quando o departamento de marketing da empresa finalmente contabilizou os resultados, os executivos da Pepsi ficaram satisfeitos, e até um pouco perplexos. Mais de metade dos voluntários afirmara que preferia o sabor da Pepsi ao da Coca-Cola. Aleluia, certo? Então, de acordo com os dados, a Pepsi deveria estar dando uma surra na Coca-Cola em todo o mundo. Mas não estava. Aquilo não fazia sentido.

Em *Blink — A decisão num piscar de olhos*, seu best-seller lançado em 2005, Malcolm Gladwell apresenta uma interpretação parcial. O Desafio Pepsi era um teste de degustação, ou o que, no setor de refrigerantes, é conhecido como teste em localização central, ou TLC. Ele cita uma ex-executiva de desenvolvimento de novos produtos da Pepsi, Carol Dollard, que explica a diferença entre tomar um gole de um refrigerante e beber toda a lata. Em um teste de degustação, as pessoas tendem a gostar do produto mais doce — nesse caso, a Pepsi —, mas, quando bebem uma lata inteira de refrigerante, sempre há à espreita a possibilidade de hiperglicemia. Esse, segundo Gladwell, é o motivo pelo qual a Pepsi prevaleceu no teste de sabor e a Coca continuou a liderar o mercado.[10]

Mas, em 2003, o dr. Read Montague, diretor do Laboratório de Neuroimagem Humana na Faculdade Baylor de Medicina, em Houston, decidiu sondar os resultados dos testes com mais profundidade. Vinte e oito anos depois do Desafio Pepsi original, ele revisou o estudo, usando dessa vez um aparelho de IRMf para monitorar o cérebro de 67 pessoas. Primeiro, perguntou aos voluntários se eles preferiam Coca-Cola, Pepsi ou se não tinham preferência. Os resultados corresponderam quase exatamente às descobertas da experiência original: mais de metade dos pesquisados relataram uma preferência clara pela Pepsi. O cérebro deles também. Ao tomar um gole de Pepsi, esse conjunto totalmente diferente de voluntários registrou uma rajada de atividade no putâmen ventral, uma região do cérebro que é estimulada quando gostamos de um sabor.

Interessante, mas nada muito dramático — até que uma nova descoberta fascinante apareceu na segunda parte da experiência.

Dessa vez, o dr. Montague decidiu deixar os pesquisados saberem se beberiam Pepsi ou Coca-Cola *antes* de realmente provarem o refrigerante. O resultado: 75% dos pesquisados disseram que preferiam Coca-Cola. E mais, Montague também observou uma mudança na localização da atividade cerebral. Além do putâmen ventral, houve fluxos sanguíneos registrados no córtex pré-frontal, uma parte do cérebro responsável, entre outras coisas, pelo raciocínio e discernimento mais altos. Tudo isso indicou ao dr. Montague que duas áreas no cérebro estavam participando de um cabo de guerra entre pensamento racional e emocional. E, durante aquele milésimo de segundo de luta e indecisão, as emoções se rebelaram, como soldados amotinados, para subjugar a preferência racional dos pesquisados por Pepsi. E foi nesse momento que a Coca-Cola venceu.[11]

Todas as associações positivas que os pesquisados tinham em relação à Coca-Cola — história, logomarca, cor, design e aroma; suas próprias lembranças de infância que remetiam à Coca-Cola, os anúncios na televisão e na mídia impressa ao longo dos anos, a indiscutível, inexorável, inelutável emoção ligada à marca Coca-Cola — derrotaram sua preferência racional e natural pelo sabor da Pepsi. Por quê? Porque é por meio das emoções que o cérebro codifica as coisas que têm valor, e uma marca que nos cativa emocionalmente — pense em Apple, Harley-Davidson e L'Oréal, só para início de conversa — vencerá todos os testes.

O fato de o estudo do dr. Montague ter se revelado um elo científico conclusivo entre o *branding* e o cérebro foi uma surpresa para a comunidade científica... E você pode apostar que os anunciantes também começaram a prestar atenção. Uma recente porém intrigante janela para nossos padrões de pensamento e processos de tomada de decisão estava alguns goles mais próxima de se tornar realidade.

Uma experiência de neuromarketing semelhante, mas não menos poderosa, logo se seguiu ao estudo sobre Coca-Cola e Pepsi. Bem longe, ao norte do Texas, quatro psicólogos da Universidade de Princeton estavam ocupados realizando uma outra experiência, cujo objetivo era rastrear o cérebro de voluntários enquanto lhes era apresentada uma escolha a ser feita: gratificação imediata, porém de curta duração, ou recompensas adiadas, porém melhores.

Os psicólogos pediram que um grupo de estudantes selecionados aleatoriamente escolhesse entre dois cupons de compra da loja virtual Amazon. Se escolhessem o primeiro, um vale-presente no valor de US$15, o receberiam imediatamente. Se estivessem dispostos a esperar duas semanas pelo vale-presente de US$20, bem, obviamente estariam recebendo mais por sua paciência. As imagens cerebrais revelaram que as duas opções de vale-presente desencadearam atividade no córtex pré-frontal lateral, a área do cérebro que gera emoção. Mas a possibilidade de ganhar o vale-presente *naquele mesmo momento* causou uma descarga de estímulo nas áreas límbicas do cérebro da maioria dos estudantes — toda uma série de estruturas cerebrais primariamente responsável por nossa vida emocional, bem como pela formação da memória. Os psicólogos descobriram que, quanto mais os estudantes ficavam emocionalmente animados por causa de alguma coisa, maiores eram as chances de eles optarem pela alternativa imediata, ainda que fosse menos gratificante. É claro, suas mentes racionais sabiam que vinte dólares eram logicamente um negócio mais vantajoso, mas — imagine só — as emoções venceram.[12]

Os economistas também querem entender as decisões subjacentes que estão envolvidas no nosso comportamento. A teoria econômica pode ser razoavelmente sofisticada, mas se deparou com obstáculos semelhantes aos que a publicidade está enfrentando. "A pesquisa financeira e econômica chegou a um impasse", explica Andrew Lo, que dirige o AlphaSimplex Group, um fundo de *hedge* de Cambridge, em Massachusetts. "Precisamos entrar no cérebro para entender por que as pessoas tomam decisões."[13]

Isso porque, assim como a pesquisa de mercado, a modelagem econômica se baseia na premissa de que as pessoas se comportam de maneira previsivelmente racional. Porém, mais uma vez, o que está começando a transparecer no nascente mundo do rastreamento cerebral é a enorme influência que nossas emoções exercem sobre todas as decisões que tomamos. Daí o interesse pela neuroeconomia, o estudo do modo como o cérebro toma decisões financeiras. Graças ao IRMf, essa nova ciência está nos proporcionando revelações sem precedentes a respeito de como as emoções — tais como generosidade, ganância, medo e bem-estar — afetam o processo de tomada de decisões econômicas.

George Loewenstein, um economista comportamental da Universidade Carnegie Mellon, confirmou: "A maior parte do cérebro é dominada por processos automáticos, e não por pensamentos conscientes. Boa parte do que acontece no cérebro é emocional, e não cognitivo."[14]

NÃO É DE SURPREENDER QUE, após capturar a atenção do mundo da publicidade, a neuroimagem também tenha aberto caminho por outras disciplinas. De fato, já havia interesse nos campos da política, da legislação, da economia e até mesmo em Hollywood.

Já era possível prever o interesse dos políticos no IRMf. Os comitês chegam a gastar um bilhão de dólares construindo um candidato à presidência que tenha possibilidade de ser eleito — e as eleições estão cada vez mais sendo decididas por uma fração ínfima de pontos percentuais. Imagine como seria ter à sua disposição uma ferramenta capaz de identificar o que está acontecendo no cérebro dos eleitores. Se você estivesse envolvido em uma campanha, gostaria de usá-la, certo? Isso é o que Tom Freedman, estrategista e conselheiro sênior do governo Clinton, deve ter pensado quando fundou uma empresa chamada FKF Applied Research. A FKF se dedica ao estudo dos processos de tomada de decisões e da maneira como o cérebro reage a qualidades de liderança. Em 2003, a empresa usou imagens obtidas por IRMf para analisar as reações do público à propaganda política televisiva durante o período que culminou na campanha presidencial entre os candidatos Bush e Kerry.

Os indivíduos analisados por Freedman assistiam a comerciais selecionados do presidente George W. Bush e do senador de Massachusetts, John Kerry; viam fotografias de cada candidato; imagens dos ataques terroristas de 11 de setembro ao World Trade Center; e o famigerado comercial de Lyndon Johnson, feito em 1964, chamado "Daisy" ("Margarida"), no qual se vê uma menina brincando com uma margarida enquanto uma explosão nuclear é detonada.

O resultado? Não é de surpreender que as imagens dos ataques de 11 de setembro e do comercial "Daisy" tenham desencadeado nos eleitores um aumento perceptível de atividade nas amígdalas cerebelares, uma pequena região cerebral cujo nome é uma referência à palavra grega para "amêndoa" e que governa, dentre outras coisas, o medo, a ansiedade e o terror. No entanto, Freedman descobriu que republicanos e democratas reagiam de maneira diferente aos comerciais que mostravam imagens do 11 de Setembro; as amígdalas dos democratas se acendiam de maneira muito mais perceptível do que as dos republicanos. Marco Iacobini, pesquisador-chefe e professor adjunto do Instituto de Neuropsiquiatria, interpretou essa estranha discrepância no medo dos democratas dizendo que o 11/9 era um ponto delicado, que podia levar à reeleição de George W. Bush em 2004. Tom Freedman acrescentou a teoria de que, em geral, os democratas ficam muito mais perturbados pela ideia de força militar, associada por eles ao 11/9, do que a maioria dos republicanos.

Mas o mais interessante para Freedman foi que seu estudo também mostrou que o rastreamento das amígdalas dos pesquisados podia ser benéfica para a criação de anúncios de campanha política, pois já foi demonstrado várias vezes que a manipulação do medo dos eleitores é um elemento decisivo para garantir a vitória de um candidato. Afinal de contas, o comercial "Daisy" ajudou a garantir a vitória de Lyndon Johnson em 1964, apelando para o medo de uma guerra nuclear. E, como seria demonstrado, a história se repetiu quarenta anos mais tarde, quando os republicanos obtiveram a vitória na eleição de 2004 martelando a ameaça do terrorismo na cabeça dos eleitores. Apesar das afirmações comuns dizerem que a publicidade política enfatiza "otimismo", "esperança", "construção ao invés de destruição" e assim por diante, o medo funciona. É o que o nosso cérebro lembra.

Embora o uso da tecnologia de rastreamento cerebral para determinar decisões políticas esteja em um estágio inicial, prevejo que a disputa presidencial nos EUA em 2008 será a última eleição a ser governada por pesquisas tradicionais e que, em 2012, a neurociência começará a dominar *todas* as previsões eleitorais. "Essas novas ferramentas algum dia podem nos ajudar a depender menos de clichês e adágios não comprovados. Elas nos ajudarão a colocar um pouco mais de ciência na ciência política", comentou Tom Freedman.[15]

Hollywood também está fascinada com a neurociência. Steve Quartz, um neurobiólogo experimental da Universidade de Stanford, estudou o cérebro das pessoas para ver como elas reagem aos trailers de filmes que só serão lançados dali a semanas, ou meses. São memoráveis, cativantes, provocantes? Vão prender nossa atenção? Ao explorarem exatamente o que agrada o centro de recompensa do cérebro, os estúdios podem criar os trailers mais interessantes, ou até mesmo esculpir o final do filme para refletir o que agrada a nós, espectadores.[16] Então, se você acha que os filmes seguem fórmulas agora, prepare-se para *Rocky 52*.

E quanto à segurança pública? Um empresário da Califórnia criou uma variação neuroimagética do tão difuso teste do polígrafo, ou detector de mentiras, com um produto chamado No Lie MRI. A sua premissa, que qualquer hábil dissimulador pode confirmar, é a de que mentir requer esforço. Em outras palavras, dizer "Não, não traí você, querida" ou "*Juro* que liguei a seta do carro!" requer uma simulação de cognição — e, portanto, um afluxo de sangue oxigenado para o cérebro. Até mesmo o Pentágono incrementou sua pesquisa a respeito de um programa de detecção de mentiras baseado em ressonância magnética, parcialmente financiada pela Agência de Projetos Avançados de Pesquisa em Defesa, que cria novas e engenhosas ferramentas e técnicas para uso militar.[17]

Mas voltemos ao marketing. Como vimos, essa ciência nascente já fez algumas incursões. Em 2002, por exemplo, o centro de pesquisa da DaimlerChrysler na cidade alemã de Ulm usou IRMfs para estudar o cérebro de consumidores, aos quais eram mostradas imagens de uma série de automóveis, como Mini Coopers e Ferraris. E eles descobriram que, quando as pessoas observavam o slide de um Mini Cooper, uma pequena região na área posterior do cérebro que reage a feições faciais se ativa. O IRMf havia acabado de identificar a essência do encanto do Mini Cooper. Mais do que a sua "configuração larga como um buldogue", a "carroceria ultrarrígida", o "motor em liga metálica de 1,6L e 16 válvulas" e os "seis *airbags* com proteção lateral" (características do carro enaltecidas no site),[18] o Mini Cooper ficava registrado na mente das pessoas como um rosto adorável. Como um pequeno personagem brilhante, um Bambi sobre quatro rodas, ou um Pikachu com cano de descarga. Você sentia vontade de apertar suas bochechinhas metálicas e sair dirigindo.

Não há dúvida de que um rosto de bebê surte um forte efeito no nosso cérebro. Em um estudo da Universidade de Oxford envolvendo uma técnica de produção de imagens conhecida como magnetoencefalografia, o neurocientista Morten L. Kringlebach pediu para que 12 adultos realizassem uma tarefa no computador enquanto rostos de bebês e adultos (com a mesma expressão) eram projetados em uma tela próxima. Segundo a *Scientific American*, "embora os voluntários em última instância processassem os rostos usando as regiões cerebrais que normalmente realizam uma tarefa desse tipo, todos os participantes mostraram uma reação inicial distinta apenas aos rostos de bebês". Mais especificamente, "em um sétimo de segundo, acontecia um pico de atividade no córtex orbitofrontal medial, uma área acima da órbita ocular ligada à detecção de estímulos gratificantes". Em outras palavras, segundo Kringlebach, o cérebro dos voluntários parecia identificar os rostos dos bebês como especiais de alguma forma.[19]

Muitas revelações intrigantes se seguiram. Os pesquisadores da DaimlerChrysler mostraram posteriormente imagens de 66 carros diferentes a uma dúzia de homens, mais uma vez rastreando seus cérebros com um IRMf. Dessa vez, os carros esportivos estimularam a região do cérebro associada a "recompensa e reforço", de acordo com Henrik Walter, psiquiatra e neurocientista que participou do estudo. E o que na maioria das vezes é a atividade mais recompensadora para os homens? Sexo. Assim como os pavões atraem suas parceiras com a iridescência de suas plumas posteriores, parecia que os homens no estudo tentavam, subconscientemente, atrair o sexo oposto com o estilo sedutor da carroceria baixa e cromada e do ronco sedutor do motor de um carro esportivo. Walter foi mais além: assim como as fêmeas das aves rejeitam os machos de plumagens mirradas — os quais correspondem àqueles homens que penteiam seus cabelos por sobre a área calva — em favor de outros machos mais vistosos porque o comprimento e o brilho da plumagem do pavão correspondem diretamente ao seu vigor, virilidade e status social, as mulheres também preferem homens com carros esportivos chamativos e provocantes. "Se você é forte e bem-sucedido como um animal, pode se dar ao luxo de gastar energia em algo tão sem propósito", assinala Walter.

No fundo, a neurociência revelou algo em que sempre acreditei: marcas são muito mais do que produtos reconhecíveis embrulhados em um design vistoso. Porém, na época, todos os testes anteriores de neuroimagem haviam se concentrado em um produto específico. O estudo de rastreamento cerebral que decidi realizar seria a primeira tentativa não apenas de examinar uma marca específica — fosse ela uma cerveja Heineken, um Honda Civic, um barbeador Gillette ou um cotonete

Johnson & Johnson —, mas também de explorar o que o conceito de "marca" realmente significa para o cérebro. Se eu pudesse dar uma espiada dentro da cabeça dos consumidores para descobrir por que alguns produtos funcionavam enquanto outros não davam em nada, meu estudo poderia não apenas transformar a maneira como as empresas projetavam, comercializavam e anunciavam seus produtos, mas também ajudar cada um de nós a entender o que *realmente* está acontecendo em nosso cérebro quando tomamos decisões a respeito do que compramos.

Então, que diabos eu devia fazer a seguir?

O estágio seguinte era obviamente encontrar os melhores cientistas — e os instrumentos mais sofisticados à disposição — para me ajudar a realizar essa experiência. No final, decidi combinar dois métodos, o TEE, a versão avançada do eletroencefalógrafo, e o IRMf. Escolhi esses métodos por uma série de motivos. Nenhum desses instrumentos é invasivo. Nenhum envolve radiação. E ambos são capazes de medir com mais precisão do que qualquer outro instrumento disponível o nível de atração (ou repulsa) emocional que nós, como consumidores, sentimos.

O IRMf, como mencionei anteriormente, é capaz de identificar com precisão no cérebro uma área tão pequena quanto um milímetro. Basicamente, o aparelho faz um minifilme amador do cérebro a cada intervalo de poucos segundos — e em dez minutos pode reunir uma quantidade espetacular de informações. Enquanto isso, o TEE, menos caro, tem a vantagem de medir as reações instantaneamente (ao passo que o IRMf tem alguns segundos de atraso). Isso torna o TEE ideal para registrar a atividade cerebral enquanto as pessoas estão assistindo a comerciais e programas de tevê, ou a qualquer outro tipo de estímulo visual, em tempo real. Melhor ainda, é portátil e pode ser levado em viagens — é uma espécie de laboratório móvel (o que, acredite, foi útil quando conseguimos uma permissão especial inédita do governo chinês para rastrear o cérebro dos consumidores chineses).

Por fim, baseamos nossa pesquisa em 102 rastreamentos por IRMf e 1.979 estudos realizados com TEE. Por que essa disparidade? Um rastreamento cerebral típico realizado por um IRMf envolve planejamento, análise, realização da experiência e interpretação dos resultados, o que pode sair caro. Os estudos realizados com TEE são bem menos dispendiosos. Mesmo assim, os estudos que produzimos com o IRMf foram quase duas vezes mais abrangentes do que quaisquer outros realizados até a presente data.

Até começarmos nossa pesquisa, ninguém havia misturado IRMf e TEE a fim de obter um estudo de neuromarketing em grande escala. Se você pensar no cérebro como uma casa, todas as experiências anteriores se baseavam na visão de uma só janela, mas o estudo abrangente que fizemos prometia olhar por quantas janelas, rachaduras, tábuas de assoalho, claraboias e tocas de ratos pudéssemos encontrar.

Esse estudo não ia sair barato, e eu sabia que, sem o apoio do empresariado, não sairia do papel. Mas quando tenho uma ideia na cabeça que me mantém acordado a noite inteira, sou persistente. Educadamente insistente, pode-se dizer. Aqueles 27 recados na sua secretária eletrônica? São todos meus (desculpe). No entanto, apesar de todos os meus esforços, as empresas rejeitavam meu projeto, uma após a outra. As pessoas a quem eu contatava ficavam ou "intrigadas, mas descrentes", ou "intrigadas, mas assustadas". E, é claro, com uma experiência de rastreamento cerebral tão ambiciosa, os financiadores tinham preocupações de ordem ética. "Orwelliano" — essa foi a expressão que mais ouvi quando as pessoas escutavam a palavra *neuromarketing*. Uma recente história de capa da *New York Times Magazine* sobre justiça e imagens cerebrais revelou um medo difuso entre os estudiosos de que o rastreamento cerebral seja um "tipo de aparato superpotente de leitura da mente" que ameace a privacidade e a "liberdade mental" dos cidadãos.[20]

Mas, para ser sincero, eu não compartilhava dessas preocupações éticas. Como disse na introdução, neuromarketing não significa implantar ideias no cérebro das pessoas ou forçá-las a comprar o que não querem; significa revelar o que já está dentro da nossa cabeça — a nossa "lógica de consumo". Nossos voluntários estavam realmente empolgados em participar do nascimento de uma nova ciência. Não houve reclamações. Nem reações adversas, efeitos colaterais ou riscos à saúde. Todos sabiam o que estavam fazendo e foram informados de tudo antes de dar o seu consentimento. E, no final, a comissão de ética de um hospital supervisionou todos os detalhes e aspectos do nosso estudo, garantindo que nada prosseguisse sem que antes tivéssemos recebido permissão para tal.

Por fim, uma empresa disse que estava disposta a dar uma chance ao neuromarketing. Logo depois, outra a acompanhou. E mais outra.

Alguns meses mais tarde, consegui todos os recursos de que precisava junto a oito empresas multinacionais. Também entrei com uma parcela do meu próprio capital.

Eu estava então diante da maior dor de cabeça operacional e logística que jamais tivera de enfrentar: encontrar um número enorme de voluntários — 2.081 na contagem final — de diferentes países, em todo o mundo. Por quê? Primeiro, eu não queria que ninguém dissesse que a amostra de população por mim reunida era restrita ou limitada demais. Além disso, a pesquisa tinha de ser global, pois o trabalho que faço é global e porque, no mundo de hoje, as empresas e marcas também são globais.

Então, acabei me concentrando em cinco países. Estados Unidos, porque é lá que estão Madison Avenue e Hollywood; Alemanha, porque é o país mais avançado do mundo no que diz respeito ao estudo do neuromarketing; Inglaterra, porque é onde está a sede da empresa da dra. Calvert; Japão, porque não há lugar mais difícil no mundo para lançar um novo produto; e China, porque é de longe a maior economia emergente do mundo.

Pule para alguns meses mais tarde, quando eu estava em um estúdio de Los Angeles, cercado por centenas de voluntários trajando toucas de TEE, eletrodos, fios e óculos de proteção, todos "grudados" a uma tela de televisão, assistindo a Simon Cowell, Paula Abdul e Randy Jackson empoleirados em suas cadeiras vermelhas como uma comissão disciplinar de uma escola de ensino médio. Simon tomava tranquilamente uma Coca-Cola enquanto, do outro lado do palco, um sujeito de costeletas e camisa havaiana gorjeava uma versão desafinada de "Daydream Believer", dos Monkees.

Explorando as reações dos espectadores a um dos programas de televisão mais populares dos Estados Unidos, nossa primeira experiência responderia à primeira pergunta que eu propunha: o merchandising realmente funciona ou é, ao contrário do que publicitários e consumidores pensam há muito tempo, um desperdício colossal de dinheiro?

2
DEVE SER ESTE O LUGAR
Merchandising, *American Idol* e o erro multimilionário da Ford

L embra aquele comercial que você viu no *American Idol* há duas noites? Aquele no qual um vendedor de tratores estava comendo uns salgadinhos de peixe, ou aquele anúncio meio engraçado de um telefone celular com os dois patos que grasnavam...

Eu também não. De fato, nem me lembro do que comi no jantar há duas noites. Carne? Lasanha? Fettuccine com molho Alfredo? Uma salada Caesar? Talvez tenha me esquecido de comer. A questão é que não consigo me lembrar — assim como não tenho lembrança alguma do terceiro homem que pisou na Lua ou da quarta pessoa que chegou ao topo do monte Everest.

Ao chegar aos 66 anos de idade, a maioria de nós já terá visto aproximadamente dois milhões de anúncios de televisão. Contando de outra forma, isso é o equivalente a assistir a oito horas de comerciais, sete dias por semana, durante seis anos seguidos. Em 1965, um consumidor típico lembrava 34% dos anúncios. Em 1990, esse percentual havia caído para 8%. Uma pesquisa telefônica realizada em 2007 pela ACNielsen com mil consumidores revelou que uma pessoa típica conseguia mencionar apenas 2,21 comerciais dentre os que havia visto durante toda a sua vida.[1] Hoje, se eu perguntar à maioria das pessoas quais empresas patrocinam seus programas de tevê favoritos — digamos, *Lost*, *House* ou *The Office* —, elas não saberão dizer. Não conseguirão lembrar nenhuma. E eu não as culpo. Li uma vez que os peixes-dourados têm uma memória operacional de aproximadamente sete segundos — portanto, a cada sete segundos, eles recomeçam suas vidas. Isso me faz lembrar de como me sinto ao assistir a comerciais de tevê.

Alguns dos motivos para isso me saltam aos olhos imediatamente. O primeiro e mais óbvio é o ataque contínuo, veloz e sempre em mutação da mídia atual. A internet, com seus *pop-ups* e *banners*, a televisão a cabo, canais de notícias 24 horas no ar, jornais, revistas, catálogos, e-mails, iPods, *podcasts*, mensagens instantâneas, torpedos via celular e jogos para computadores e *videogames* lutam pelo nosso momento de atenção, cada vez mais finito e escasso. Consequentemente, o sistema de filtragem em nosso cérebro tornou-se mais poderoso e autoprotetor. Somos cada vez menos capazes de lembrar o que vimos na tevê pela manhã, quanto mais duas noites atrás.

Outro fator não menos importante por trás da nossa amnésia é a onipresente falta de originalidade por parte dos anunciantes. O raciocínio deles é simples: se o que estávamos fazendo funcionou durante anos, por que não deveríamos simplesmente continuar fazendo o mesmo? O que é mais ou menos como dizer: "Se sou um jogador de beisebol que está rebatendo bem há uma década, por que deveria me dar o trabalho de mudar meu impulso, alterar minha postura ou segurar o taco de uma maneira um pouco diferente?" Alguns anos atrás, realizei sozinho um pequeno experimento — com um alcance um pouco mais restrito do que minha experiência de rastreamento cerebral. Gravei sessenta anúncios de carros de vinte companhias diferentes, veiculados na tevê nos dois anos anteriores. Cada um tinha uma cena em que o carro, novo, brilhante e aparentemente sem motorista, fazia uma curva fechada no deserto, levantando uma dramática nuvenzinha de poeira — *puf*. A questão é que, apesar de o modelo do carro ser diferente, aquela cena era exatamente a mesma em todos os comerciais. A mesma guinada. A mesma curva. O mesmo deserto. A mesma nuvem de poeira. Por pura diversão, criei uma montagem desses momentos incrivelmente imemoráveis em um vídeo de dois minutos, para ver se conseguia saber qual carro era um Toyota, um Nissan, um Honda, um Audi ou um Subaru. E, afinal, quando assisti à fita, fiquei desnorteado. Não conseguia distinguir um carro de outro.

Esse foi, e é, um exemplo depressivamente realista do que está acontecendo hoje em dia com os anúncios de tevê. Não há originalidade — é arriscado demais. Empresas nada criativas estão simplesmente imitando outras empresas nada criativas. No final, todo mundo está perdendo, porque nós, enquanto telespectadores, não conseguimos distinguir uma marca de outra. Assistimos a um comercial após o outro, mas a única coisa que conseguimos reter, se é que alguma coisa dos anúncios consegue ficar registrada em nossa lembrança, é a imagem de um carro reluzente e anônimo e de um punhado de poeira.

EM 11 DE JUNHO DE 2002, um programa de tevê britânico bastante popular conhecido como *Pop Idol* cruzou o Atlântico rumo aos Estados Unidos e, rebatizado como *American Idol*, se tornou um dos programas mais populares e bem-sucedidos da história da televisão norte-americana, praticamente da noite para o dia. (Reza a lenda que o programa nunca teria sido transmitido nos Estados Unidos se a filha de Robert Murdoch, uma enorme fã do programa, não tivesse convencido o pai a fazer uma tentativa. Ela sabia o que estava fazendo.)

Hoje em dia, a maioria de nós sabe como o programa funciona. Em suas primeiras semanas, os produtores e o elenco de *American Idol* vão de cidade em cidade, por todo o país, fazendo testes com aspirantes a cantores cujos níveis de talento variam de "experiente, mas pode melhorar" a "constrangedoramente ruim", passando por "promissor". Ao longo da temporada, os três jurados do programa reduzem os candidatos a 24 concorrentes, até que, finalmente, os telespectadores têm a oportunidade de votar em seu preferido a cada semana e o concorrente com menos votos é eliminado. No final da temporada, o último "sobrevivente" se torna o próximo "Ídolo Americano".

Mas o que aspirantes a cantores, jurados perversos e sonhos de fama, glória e estrelato têm a ver com a próxima parte do nosso estudo? Tudo. Até então, eu apenas suspeitava que as estratégias tradicionais de publicidade e marketing, como anúncios e merchandising, não funcionavam, mas era chegada a hora de aplicar a prova final.

O *American Idol* tinha três patrocinadores principais: a Cingular Wireless (que desde então foi comprada pela AT&T, mas que continuarei a chamar de Cingular neste capítulo porque esse era o nome da empresa na época em que os anúncios foram veiculados), a Ford Motor Company e a Coca-Cola, cada um, segundo estimativas, desembolsando anualmente US$26 milhões para que suas marcas aparecessem em um dos programas de maior audiência da história da televisão.

E isso é apenas uma pequena parte de uma enorme e dispendiosa indústria global. Segundo um estudo realizado pela PQ Media, em 2006, empresas do mundo todo pagaram um total de US$3,56 bilhões para que seus produtos aparecessem em vários programas de tevê, videoclipes e filmes. Em 2007, essa cifra aumentou para US$4,38 bilhões, e a previsão é de que alcance astronômicos US$7,6 bilhões em 2010.[2] É uma bolada e tanto, já que essa foi a primeira vez que a eficácia do merchandising foi cientificamente testada ou comprovada. Como já mencionei, não consigo lembrar o que comi no jantar de ontem, o que dirá do comercial da Honda que passou na tevê. Então, quem me garante que vou me lembrar de qual refrigerante Simon Cowell estava bebendo quando se inclinou, com os olhos brilhando, para destruir outra pobre criatura que interpretou mais uma versão de "Fallin", de Alicia Keys?

Como espectadores, costumávamos ser capazes de diferenciar produtos que, de alguma maneira, desempenham um papel ou estão presentes em um programa de tevê ou em um filme no cinema (prática conhecida nas esferas publicitárias como Integração de Produto) e os filmes publicitários tradicionais, com duração de trinta segundos, veiculados durante os intervalos comerciais (conhecidos como, bem, comerciais). Porém, esses dois tipos de publicidade estão se tornando cada vez mais difíceis de separar.

No *American Idol*, a Coca-Cola e a Cingular Wireless não apenas veiculam anúncios de trinta segundos durante os intervalos comerciais, mas também inserem de forma proeminente seus produtos *durante* o próprio programa. (Quando um jurado perguntou a outro se havia gostado da canção do concorrente durante o programa de 21 de fevereiro de 2008, Simon comentou: "Como eu adoro Coca-Cola!", e depois tomou um gole.) Todos os três jurados mantinham o copo do refrigerante mais icônico dos Estados Unidos à sua frente, e tanto os jurados quanto os concorrentes se sentavam em cadeiras ou sofás com contornos arredondados, projetados especificamente para parecerem uma garrafa de Coca-Cola. Antes e depois das apresentações, os concorrentes entravam numa sala (ou dela saíam, xingando de raiva) cujas paredes estão pintadas de um inequívoco e vivo vermelho Coca-Cola. Seja por meio de sinais sutis, seja por filmes publicitários tradicionais, a Coca-Cola está presente durante aproximadamente 60% do tempo de *American Idol*.

A Cingular também aparece repetidamente ao longo do programa, porém em menor escala. Como o apresentador, Ryan Seacrest, repetidamente nos lembra, os espectadores podem votar em seu concorrente favorito através de mensagens de texto vindas de um celular da Cingular Wireless — a única operadora que permite votos para o programa através de mensagens de texto (os torpedos de outras operadoras de telefonia celular são evidentemente descartados, o que significa que ou você telefona, pagando uma certa tarifa, ou se cala para sempre). E mais, a logomarca da Cingular — que parece um gato laranja esparramado em uma estrada — aparece ao lado de cada conjunto de números de telefone e mensagem de texto exibido na tela.[3] E, para cimentar ainda mais a relação entre o programa e a marca, em 2006 a Cingular anunciou que começaria a oferecer toques musicais retirados das apresentações ao vivo do programa da noite anterior, que poderiam ser baixados para os celulares da marca. O custo: US$2,95.[4]

Dos três principais patrocinadores do programa, a Ford é o único anunciante que não divide o palco com os concorrentes. Os US$26 milhões da Ford são destinados apenas a anúncios tradicionais de trinta segundos (embora, em 2006, a Ford tenha anunciado que havia contratado Taylor Hicks, vencedor do *American Idol* — o sujeito grisalho —, para gravar uma canção implacavelmente ritmada e alegre chamada "Possibilities", a fim de promover as promoções de fim de ano da empresa, "Drive On Us", tanto na televisão quanto no rádio). Durante a sexta temporada do programa, a Ford também produziu videoclipes originais com os seus carros, veiculados durante os intervalos comerciais em cada um dos 11 programas finais, e estabeleceu uma parceria com o site do *American Idol* para uma promoção semanal de sorteios.[5]

Qual a razão desse implacável ataque publicitário? Em parte, ele pode ser atribuído à reação calculada dos anunciantes para contornar novas tecnologias como o TiVo, que permite que os espectadores pulem os anúncios de tevê e assistam a seus programas favoritos sem interrupções. "A passagem de uma programação definida pela emissora para outra controlada pelo consumidor é a maior mudança no setor de mídia nos últimos 25 ou trinta anos" é o que, segundo fontes, disse Jeff Gaspin, presidente do NBC Universal Television Group.[6] No fundo, os patrocinadores estão nos dizendo que é inútil se esconder, se esquivar, fazer o programa avançar ou ficar mais tempo no banheiro: eles vão nos alcançar *de alguma maneira*.

Será mesmo? Será que todos esses produtos meticulosamente planejados e astutamente inseridos na programação realmente penetram em nossa memória de longo prazo e deixam alguma impressão duradoura em nós? Ou será que são o que gosto de chamar de anúncios "papel de parede" — instantaneamente esquecidos, o equivalente da publicidade à música ambiente de um elevador? É isso que a próxima parte do nosso estudo cerebral revelaria.

A PREPARAÇÃO ERA SIMPLES. NOSSOS QUATROCENTOS pesquisados cuidadosamente selecionados colocaram uma espécie de touca preta, parecida com um turbante, ligada a uma dúzia de eletrodos semelhantes a pequenas velas. Os pesquisadores então ajustaram e enrolaram os cabos sobre suas cabeças e, por fim, completaram o figurino com um par de óculos de proteção. No traje de TEE, nossos pesquisados pareciam membros variados de um afável culto à misteriosa cidade de Roswell, Novo México, ou um bando de participantes em uma feira de videntes.

Mas não havia nada de sobrenatural ou aleatório nesse estudo, o primeiro já realizado a fim de avaliar o poder (ou a inutilidade) da indústria bilionária do merchandising. Os eletrodos haviam sido posicionados sobre partes específicas dos cérebros de nossos pesquisados para que, a vários metros de distância, atrás de um painel de vidro, a equipe de pesquisadores pudesse ver com exatidão — e medir matematicamente — o que suas ondas cerebrais estavam fazendo em tempo real. Dentre outras coisas, o TEE podia medir nos pesquisados o grau de conexão emocional (em que medida estavam interessados naquilo a que estavam assistindo), de memória (que partes daquilo a que estavam assistindo penetravam na memória de longa duração) e de aproximação e distanciamento (o que na imagem visual os atraía ou repelia). Ou, nas palavras do pesquisador-chefe, o professor Silberstein, o TEE revelaria "como diferentes partes do cérebro falam umas com as outras".

Os pesquisados sentaram-se em uma sala escura e o show começou.

O MERCHANDISING EM FILMES É TÃO antigo quanto o próprio cinema. Até mesmo os pioneiros irmãos Lumière, dois dos primeiros cineastas, incluíram várias aparições do sabonete Lever em seus primeiros curtas-metragens. Na verdade, eles tinham um funcionário que também trabalhava como agente publicitário da Lever Brothers (atualmente Unilever). Mas o merchandising começou realmente a florescer nos anos 1930. Em 1932, a White Owl Cigars forneceu US$250 mil sob forma de publicidade para o filme *Scarface — A vergonha de uma nação*, desde que o astro Paul Muni fumasse seus charutos no filme. Em meados da década de 1940, era raro ver uma cozinha em um filme da Warner Brothers que não tivesse uma geladeira da General Electric novinha em folha, ou uma história de amor que não acabasse com um homem presenteando uma mulher com diamantes numa demonstração romântica de devoção eterna — os diamantes, é claro, eram patrocinados pela DeBeers Company.[7]

Mesmo assim, o merchandising como a maioria de nós conhece hoje remonta a um pequeno extraterrestre. Para aqueles que nunca assistiram a *E.T. — O extraterrestre*, de Steven Spielberg, a história gira em torno de um garoto solitário e sem pai chamado Elliott que descobre uma criatura de aparência extraordinária morando no bosque atrás da sua casa. Para fazer com que a criatura deixe o seu esconderijo, o garoto coloca taticamente pedaços de doces — instantaneamente reconhecíveis como Reese's Pieces, da Hershey — ao longo da trilha que vai da floresta até a sua casa.

Mas Spielberg não escolheu aleatoriamente aquele tipo específico de doce. O diretor abordou primeiro a Mars Company, fabricante dos M&Ms, para perguntar se eles estavam dispostos a pagar para que seu produto aparecesse no filme. Depois que eles recusaram a oferta, a Hershey concordou em entrar em cena, oferecendo o Reese's Pieces como substituto. Uma decisão empresarial muito inteligente, como ficou comprovado: uma semana após o lançamento do filme, as vendas de Reese's Pieces triplicaram e, alguns meses após o lançamento, mais de oitocentos cinemas em todo o país começaram a vender Reese's Pieces em suas bombonerias pela primeira vez.

Tom Cruise entra em cena. No final da década de 1970 e início da década de 1980, a fabricante de óculos escuros Ray-Ban, com sede nos EUA, estava lutando para permanecer viva enquanto as cifras relativas a vendas permaneciam sombriamente baixas. Isso até a empresa fechar um acordo com Paul Brickman, diretor de *Negócio arriscado*, de 1983, e Tom Cruise dar aos óculos *rétro* uma nova vida. Quando o filme se tornou um grande sucesso, as vendas da Ray-Ban aumentaram mais de 50%.

Mas esse foi apenas o início para Cruise e seus óculos escuros. Três anos depois, em *Top Gun — Ases indomáveis*, dirigido por Tony Scott, com o ator que descia de seu avião de caça usando uma jaqueta de couro da Força Aérea e os óculos Aviator da Ray-Ban, a fabricante de óculos escuros teve mais um aumento de 40% em seu resultado financeiro. (Não foram apenas os óculos escuros que se beneficiaram do sucesso de *Top Gun*. A venda de jaquetas de couro tipo aviador também disparou, assim como o recrutamento na Força Aérea e na Marinha, sendo que a última chegou a registrar um aumento de 500%.)

O sucesso da Ray-Ban com o merchandising se repetiu novamente duas décadas mais tarde. Nos seis meses após Will Smith ter usado o que então eram óculos escuros *extremamente rétro* no filme de 2002 *MIB — Homens de preto II*, as vendas da empresa triplicaram, correspondendo ao que um representante da empresa afirmou ser o equivalente a US$25 milhões em anúncios grátis.[8]

Todavia, desde os tempos de *E.T.* e *Top Gun*, o merchandising no cinema cresceu até atingir níveis quase absurdos. Quando *007 — Um novo dia para morrer*, filme de 2002 da saga de James Bond, conseguiu exibir 23 marcas durante 123 minutos, o público ficou extremamente irritado. A maioria dos críticos questionou a integridade do filme, chamando-o até de *007 — Um novo dia para comprar*. Mas isso não foi nada em comparação com *Alta velocidade*, filme de 2001 com Sylvester Stallone (que provavelmente teria causado um ultraje semelhante se as pessoas realmente o tivessem assistido), que conseguia encaixar 103 marcas em 117 minutos — quase uma marca a cada sessenta segundos. Mais recentemente, o filme *Transformers* contava com participações especiais não anunciadas da AAA, Apple, Aquafina, AT&T e Austin-Healey — e essa era apenas a lista dos nomes iniciados com A. No total, 68 empresas fizeram aparições totalmente esquecíveis e espalhafatosas no filme de 2007.

Hoje em dia, somos sacudidos, puxados, bombardeados, empurrados, cutucados, lembrados, adulados, incitados, sobrecarregados e oprimidos por um fluxo constante e ostensivo de merchandising. O resultado? Cegueira temporária. Ou quase. Você por acaso assistiu a *007 — Cassino*

Royale, o filme de James Bond estrelado por Daniel Craig? Consegue se lembrar de algum produto que aparecia no filme? FedEx? O relógio Omega de James Bond? O computador Vaio da Sony? Louis Vuitton? Ford? Acredite se quiser, mas todos esses produtos apareceram sem créditos no filme. A Ford, na verdade, fabrica todos os carros em *007 — Cassino Royale*, inclusive um Land Rover, um Jaguar, um Lincoln e o Aston Martin que é a marca registrada de Bond. E a Sony exibiu não apenas o seu computador Vaio, mas telefones Ericsson, leitores Blu-ray e televisores de LCD.[9] Mas, se você é como eu, o único produto do qual se lembra em *007 — Cassino Royale* é o Aston Martin e, provavelmente, isso tem mais a ver com uma conhecida associação ao personagem de James Bond, cimentada ao longo dos anos, do que com uma lembrança real do filme (e, como o Aston Martin mais barato custa cerca de US\$120 mil, duvido que tenham surgido muitos compradores).

Quando o assunto é merchandising, a televisão não fica muito atrás. Leslie Moonves, presidente do conselho da CBS Corporation, prevê que, em breve, até 75% de todos os seus programas roteirizados do horário nobre terão produtos e diálogos cuja inclusão será paga por anunciantes.[10] Trata-se de uma cifra surpreendentemente alta que, caso ele esteja certo, vai embaralhar ainda mais as já tênues linhas entre publicidade e conteúdo criativo, a ponto de alterar o próprio significado da palavra entretenimento. Rance Crain, o editor-chefe da *Advertising Age*, uma vez apresentou essa questão bem diretamente: "Os anunciantes não ficarão satisfeitos até conseguirem colocar suas marcas em cada folha de grama."[11]

APRESENTAMOS ÀS PESSOAS QUE SE SUBMETERIAM ao rastreamento cerebral uma sequência de vinte logomarcas de produtos, sendo que cada uma era mostrada por apenas um segundo. Algumas eram logomarcas de empresas famosas, que veiculavam anúncios de trinta segundos durante o *American Idol*, dentre as quais a Coca-Cola, a Ford e a Cingular. Nós as chamamos de logomarcas de merchandising. Também mostramos aos nossos voluntários logomarcas de empresas que não possuíam produtos inseridos no programa — como Fanta, Verizon, Target e eBay. Nós as chamamos de logomarcas aleatórias, o que significava que nem tinham ligação com o programa, nem o patrocinavam. Depois, mostramos aos nossos espectadores uma edição especial de vinte minutos do *American*

Idol, bem como um episódio de um programa diferente que serviria de referência para legitimar nossos resultados finais. Quando nossos espectadores acabaram de assistir aos dois programas, exibimos mais três vezes seguidas exatamente a mesma sequência de logomarcas.

O nosso objetivo era descobrir se os espectadores se lembrariam de quais logomarcas haviam ou não visto durante o programa. Ao longo dos anos, as pesquisas em neuromarketing descobriram que a lembrança que os consumidores têm de um produto, seja ele um desodorante, um perfume ou uma marca de tequila, é a medida mais relevante e confiável da eficácia de uma publicidade. Ela também está ligada ao comportamento de consumo das pessoas no futuro. Em outras palavras, se nos lembramos do desodorante Mitchum Roll-On, do perfume Euphoria da Calvin Klein e da tequila Julio Añejo, teremos uma possibilidade bem maior de procurar esses produtos da próxima vez que estivermos em uma loja, ou de colocá-los em nosso carrinho da próxima vez que estivermos comprando on-line. Portanto, fazia sentido comparar a força das lembranças que as pessoas tinham das logomarcas — tanto das patrocinadoras quanto das aleatórias — que haviam sido vistas antes e depois da exibição de *American Idol*.

Uma semana mais tarde, o professor Silberstein e eu nos encontramos para discutir os resultados.

Primeiro, no teste antes do programa, o professor Silberstein descobriu que, a despeito da frequência com que apareciam em *American Idol*, os produtos dos três maiores patrocinadores — Ford, Cingular Wireless e Coca-Cola — não eram mais lembrados pelos participantes da pesquisa do que os outros produtos escolhidos aleatoriamente, vistos antes do início do estudo. Ou seja, as logomarcas de merchandising e as logomarcas aleatórias começaram a corrida em pé de igualdade.

A situação não continuaria assim por muito tempo. Depois de assistirem aos programas, os participantes se lembravam significativamente mais das logomarcas dos patrocinadores do que das outras. E mais, a simples força das logomarcas dos patrocinadores — que haviam inserido estrategicamente seus produtos ou veiculado anúncios durante o programa — havia na verdade *inibido* a lembrança das logomarcas aleatórias. Em outras palavras, após assistir aos dois programas, a lembrança que os participantes tinham das logomarcas dos patrocinadores, como Coca-Cola e Cingular, havia eliminado a lembrança das outras marcas, como a da Pepsi e da Verizon.

Mas depois veio a descoberta mais bizarra e provavelmente a mais profunda de todas. Os resultados do TEE mostraram que a Coca-Cola era muito mais memorável do que a Cingular Wireless e muito, muito mais memorável do que a Ford. Mais surpreendente ainda foi que a Ford não teve *somente* um desempenho ruim. No teste após o programa, descobrimos que, depois de assistir às gravações, nossos participantes na verdade se lembravam *menos* dos anúncios da Ford do que antes de terem entrado no estudo. Isso é o que eu chamo de afastar clientes em potencial. Em outras palavras, o fato de assistir a um programa saturado de Coca-Cola na verdade *suprimia* as lembranças que os participantes tinham dos anúncios da Ford. A montadora, ao que parece, havia investido US$26 milhões em um patrocínio anual — e, na verdade, *perdeu* participação de mercado.

Então, por que a estratégia da Coca-Cola era tão bem-sucedida, ao contrário da estratégia da Ford? Ambas gastaram a mesma quantia astronômica em suas campanhas de mídia. Ambas veicularam inúmeros anúncios durante o mesmo programa. Ambas alcançaram a mesma quantidade de espectadores. O que estava acontecendo?

Para entender os resultados, pense na maneira como a publicidade das duas empresas foi integrada ao programa. A Coca-Cola permeou 60% do tempo de duração do show, com copos habilmente posicionados, móveis evocando o formato de suas garrafas e paredes pintadas de um vermelho Coca-Cola. A Ford, por outro lado, simplesmente veiculou anúncios tradicionais, que não se intrometiam de forma alguma no programa. Em outras palavras, a Coca-Cola estava plenamente integrada na narrativa (era como se os representantes da empresa estivessem derramando o refrigerante sobre a cabeça dos nossos voluntários), ao contrário da Ford. Por exemplo, você não vê nenhum sofá com o formato da Ford ou logomarcas da empresa em *American Idol*. Os concorrentes não chegam ao palco nem vão embora dos bastidores em um Ford. E quanto a uma caneca de café da Ford? Uma gravata da Ford? Um prêmio da Ford para o segundo colocado? Nada disso existe. Apesar dos US$26 milhões gastos em filmes publicitários, a Ford simplesmente não desempenha um papel no programa.

Em suma, os resultados revelaram que não nos lembramos das marcas que não desempenham um papel integral na trama de um programa. Elas se tornam ruído branco e são fácil e instantaneamente esquecidas. Quando assistimos a um anúncio que mostra concorrentes do *American Idol* alegremente ensaboando um Ford num lava-carros, ou se amontoando em um veículo como adolescentes lunáticos dos anos 1950, praticamente não prestamos atenção ao produto, pois se trata claramente de "apenas" um comercial.

Por meio de uma integração sutil e brilhante, a Coca-Cola, por outro lado, associou-se diligentemente aos sonhos, aspirações e fantasias dos ídolos em potencial. Você quer ser bem-sucedido e adorado? A Coca-Cola pode ajudar. Quer ter o mundo aos seus pés? Beba uma Coca. Com o simples ato de beber o refrigerante no palco, os três jurados forjaram uma poderosa conexão entre o refrigerante e as emoções suscitadas pelo programa. A Cingular também criou uma conexão tornando-se o instrumento por meio do qual os concorrentes podem realizar seus sonhos ou, pelo menos, se tornar uma subcelebridade. A Ford, por outro lado, não tem um papel arquetípico desse gênero em *American Idol*. Os espectadores não a associam a vitória, derrota, sonhos, adoração, holofotes, ovações, bis — ou a qualquer outra coisa diferente de gasolina, pneus, estradas e câmbios automáticos. Os concorrentes do *American Idol* não possuem uma conexão natural ou uma vontade de se afiliar à marca, então nós, como espectadores, também não desenvolvemos nenhuma ligação emocional.

E os produtos que desempenham um papel integral na narrativa de um programa — como a Coca-cola e, em menor grau, a Cingular Wireless — não apenas são mais memoráveis, como parecem até surtir um efeito duplo. Em outras palavras, eles não apenas *aumentam* a nossa lembrança do produto, mas também *enfraquecem* a nossa capacidade de lembrar de outras marcas.

Como o nosso estudo com o TEE mostrou, para funcionar o merchandising tem de ser muito mais ardiloso e sofisticado do que o simples arremesso de uma série de produtos aleatórios em uma tela, esperando que tenhamos alguma reação. Voltemos a *E.T. — O extraterrestre* por um momento. Elliott não enfiava simplesmente aqueles Reese's Pieces na boca durante um passeio despreocupado de bicicleta com seus colegas; eles eram uma parte essencial da trama, porque eram usados para atrair o E.T. e fazê-lo sair do bosque. Outro exemplo: muitos de nós que viram *Minority Report*

— *A nova lei*, de Spielberg, ainda se lembram da engenhosa edição de 2054 do jornal *USA Today* (com a manchete "Pré-Crime caça seu próprio funcionário", acompanhada de uma foto da cabeça de Tom Cruise girando da esquerda para a direita) que um passageiro lia no metrô durante um momento crucial do filme. Porém, não nos lembramos do mesmo jornal quando ele fez uma rápida aparição em *Falcão Negro em perigo*, *Uma turma do barulho* e *Encontro de amor*. É por isso também que, em *007 — Cassino Royale*, as rápidas passagens em que aparecem a FedEx, a Louis Vuitton e o merchandising de outras empresas eram como olhar para o céu; assim como os anúncios da Ford, elas não tinham relevância alguma para a trama.

E mais, para que o merchandising funcione o produto precisa *fazer sentido* dentro da narrativa do programa. Portanto, se um produto não se enquadra bem no filme ou programa de tevê em que aparece — se, no próximo filme de ação de Bruce Willis, houver merchandising de produtos como cotonetes, fio dental sabor morango ou a última loção perfumada da Body Shop —, os espectadores vão ignorá-las. Mas, se o mesmo filme contiver uma cena do nosso herói em uma academia, usando com maestria uma nova marca de equipamentos de ginástica ou tomando uma cerveja Molson antes de enfrentar dois vilões em um beco de uma vez só, os espectadores reagirão de forma mais positiva. E é por isso que, no futuro, será pouco provável que os espectadores vejam merchandising de produtos como motosserras, jamantas ou veículos Hummer no próximo filme estrelado por Reese Witherspoon.

Em outras palavras, daria no mesmo se os anunciantes e profissionais de marketing que nos bombardeiam com uma marca após a outra — um refrigerante Mountain Dew e um laptop Dell aqui, uma supervitamina GNC e um colchão Posturepedic ali — acendessem um fósforo e queimassem os milhões de dólares gastos em seus anúncios. Se a marca em questão não desempenhar um papel fundamental na trama, não nos lembraremos dela, ponto final. E aí reside o erro multimilionário da Ford.

Mas o que exatamente em nossos cérebros torna alguns produtos tão mais memoráveis e atraentes do que outros? Bem, estamos prestes a dar uma olhada em uma das descobertas mais fascinantes dos últimos tempos, que desempenha um papel enorme na atração que sentimos por certas coisas. O lugar: Parma, Itália. Os codescobridores involuntários desse fenômeno? Os macacos Rhesus.

3
QUERO O MESMO QUE ELA PEDIU
Os neurônios-espelho em ação

Em 2004, Steve Jobs, executivo-chefe, presidente do conselho e cofundador da Apple, estava passeando pela Madison Avenue em Nova York quando notou algo estranho e gratificante. Arrojados fones de ouvido brancos (você lembra que, antigamente, a maioria dos fones de ouvido tinham a monótona cor preta?) pendurados em orelhas, balançando sobre camisas, saindo de bolsos, bolsas e mochilas. Estavam por toda parte. Dizem que Jobs, que havia lançado recentemente o muito bem-sucedido iPod, comentou: "Era como se, em cada esquina, houvesse alguém com um fone de ouvido branco, e eu pensei: 'Ah, meu Deus, está começando a acontecer.'"[1]

Você poderia classificar a popularidade do iPod (e dos seus onipresentes e icônicos fones brancos) como um modismo. Alguns podem até chamar esse fenômeno de revolução. Mas, do ponto de vista neurocientífico, o que Jobs estava vendo era nada menos do que o triunfo de uma região do nosso cérebro associada a algo chamado neurônio-espelho.

Em 1992, um cientista italiano chamado Giacomo Rizzolati e sua equipe de pesquisa em Parma, Itália, estavam estudando o cérebro de uma espécie de macaco — o Rhesus — esperando descobrir como o cérebro organiza comportamentos motores. Especificamente, eles estavam investigando uma região do cérebro do macaco Rhesus conhecida pelos neurocientistas como F5, ou área pré-motora, que registra atividade quando os símios realizam alguns gestos, como pegar uma noz. Curiosamente, observaram que os neurônios pré-motores do macaco Rhesus se acendiam não apenas quando o símio tentava pegar aquela noz, mas também quando via *outros* símios tentando pegá-la — o que surpreendeu a equipe de Rizzolati, já que os neurônios das regiões pré-motoras do cérebro geralmente não respondem a estimulação visual.

Em uma tarde de verão particularmente quente, Rizzolati e sua equipe observaram a coisa mais estranha de todas quando um dos alunos de graduação voltou para o laboratório depois do almoço segurando um sorvete e notou que o macaco o estava encarando, quase ardentemente. E, à medida que o estudante levantava a casquinha até a boca e dava uma lambida no sorvete, o monitor eletrônico conectado à região pré-motora do macaco se ativava — *bipe, bipe, bipe.*

O macaco não havia feito nada. Não havia mexido o braço nem tomado um pouco do sorvete; nem mesmo estava segurando algo. Mas, ao simplesmente *observar* o estudante levar o sorvete até a boca, o cérebro do macaco havia mentalmente imitado o mesmo gesto.

Esse incrível fenômeno é o que Rizzolati acabaria batizando de "neurônios-espelho" em ação — neurônios que se ativam quando uma ação está sendo realizada e quando a mesma ação está sendo observada. "Foram necessários vários anos para que acreditássemos no que estávamos vendo", disse ele mais tarde.

Mas os neurônios-espelho dos macacos Rhesus não se ativavam diante de *qualquer* gesto realizado por um aluno de graduação ou por um outro macaco. A equipe de Rizzolati pôde demonstrar que os neurônios-espelho dos macacos Rhesus estavam reagindo ao que é conhecido como "gestos direcionados" — aquelas atividades que envolvem um objeto, como pegar uma noz ou levar um sorvete até a boca, ao contrário de movimentos aleatórios, como atravessar a sala ou simplesmente ficar em pé de braços cruzados.

Será que o cérebro humano funciona da mesma maneira? Será que também imitamos a maneira como os outros interagem com objetos? Bem, por razões éticas óbvias, os cientistas não podem colocar um eletrodo dentro de um cérebro humano em funcionamento. No entanto, as imagens de IRMf e TEE das regiões do cérebro humano que supostamente contêm neurônios-espelho — o córtex frontal inferior e o lobo parietal superior — indicam que sim, pois essas regiões são ativadas quando alguém está realizando uma ação, e também quando uma pessoa observa a ação da outra. As evidências que indicam a existência de neurônios-espelho no cérebro humano são na verdade tão fortes que um ilustre professor de psicologia e neurociência da Universidade da Califórnia disse: "O neurônio-espelho representa para a psicologia o que o DNA representa para a biologia."[2]

Você já se perguntou por que, ao assistir a um jogo de beisebol no qual o seu jogador favorito manda a bola para fora no nono *inning*, você se encolhe? Ou então por que, quando o seu time faz um gol ou um *touchdown*, você levanta os braços? Ou por que, quando você está no cinema e a heroína começa a chorar, lágrimas brotam de seus olhos? E aquela descarga de alegria que você sente quando Clint Eastwood ou Vin Diesel despacham um vilão — ou aquele gingado de macho alfa no seu modo de caminhar que você continua a sentir uma hora após o final do filme? Ou a sensação de felicidade e beleza que atravessa seu corpo enquanto você observa um bailarino ou escuta um grande pianista? Atribua isso aos neurônios-espelho. Assim como os macacos de Rizzolati, quando assistimos a alguém fazendo algo, seja um pênalti convertido em gol ou um arpejo perfeito em um piano de cauda Steinway, nosso cérebro reage como se nós mesmos estivéssemos realizando aquelas atividades. Em suma, é como se ver e fazer fossem a mesma coisa.

Os neurônios-espelho também são o motivo pelo qual muitas vezes imitamos involuntariamente o comportamento de outras pessoas. Essa tendência é tão inata que pode ser observada até mesmo em bebês — simplesmente mostre a língua para um bebê, e é bem provável que ele repita essa ação. Quando outras pessoas sussurram, tendemos a abaixar o nosso próprio tom de voz. Quando estamos perto de uma pessoa mais idosa, tendemos a andar mais devagar. Se estamos sentados em um avião ao lado de uma pessoa com um sotaque forte, muitos de nós começam inconscientemente a imitá-lo. Lembro-me de ter estado em Moscou na época da Guerra Fria e de ter ficado pasmo por não haver cores em lugar algum da cidade. O céu era cinza, os carros eram cinza, e o rosto das pessoas com quem eu cruzava nas ruas era impiedosamente pálido. Mas o que mais chamou a minha atenção era que quase ninguém sorria. Ao caminhar, eu esboçava um rápido sorriso para os outros pedestres em Moscou e nunca era correspondido. De início, achei divertido (porque era muito estranho), mas, depois de uma hora, comecei a perceber o efeito que aquilo estava tendo sobre mim. Meu humor mudou. Eu não estava me sentindo despreocupado como de costume. Parei de sorrir. Estava quase de cara fechada. Eu me sentia *cinza*. Física e psicologicamente, mesmo sem perceber, eu estava espelhando todas as pessoas à minha volta.

Os neurônios-espelho explicam por que muitas vezes sorrimos quando vemos alguém que está feliz ou nos retesamos quando vemos alguém que está sentindo dor. A cientista Tania Singer analisou imagens do cérebro de alguns indivíduos que assistiam a uma pessoa sentindo dor e descobriu que as regiões "relacionadas à dor" daqueles indivíduos — inclusive os córtices frontoinsular e anterior cingulado — se ativaram. Parecia que, apenas observando a dor de outra pessoa, eles tinham a sensação de que aquela dor estava acontecendo consigo.

Curiosamente, os neurônios-espelho também entram em ação na situação inversa — quando, no que é conhecido como *schadenfreude*, sentimos prazer com a desgraça alheia. Singer e seus colegas mostraram aos voluntários um vídeo de pessoas entretendo-se com um jogo. Alguns jogadores trapaceavam; outros jogavam de maneira correta, de acordo com as regras. A seguir, os voluntários assistiram a cenas dos jogadores — tanto os trapaceiros como os honestos — levando um choque elétrico leve, mas doloroso.[3]

Graças aos neurônios-espelho, as regiões relacionadas à dor tanto no cérebro de homens quanto de mulheres se ativaram mostrando empatia quando os jogadores honestos sentiram o choque. Mas, quando os trapaceiros receberam o choque, os cérebros dos voluntários de sexo masculino não apenas mostraram menos empatia, mas os seus centros de recompensa se ativaram (as mulheres do grupo ainda mantiveram um perceptível nível de empatia). Em outras palavras, todos nós temos a tendência a sentir empatia quando coisas ruins acontecem com pessoas boas — nesse caso, os jogadores honestos —, mas, quando coisas ruins acontecem com pessoas ruins — os trapaceiros —, os homens, pelo menos, sentem um certo grau de prazer.

Bocejo. Você está bocejando agora ou sentindo os primeiros sinais de um bocejo? Eu estou, e não porque estou entediado, ou cansado de escrever sobre o cérebro, mas simplesmente porque acabei de digitar a palavra *bocejo*. Está vendo? Os neurônios-espelho se ativam não apenas quando estamos *observando* o comportamento de outras pessoas, mas disparam quando estamos *lendo* a respeito de alguém que está adotando tal comportamento.

Recentemente, uma equipe de pesquisadores da UCLA usou um aparelho de IRMf para obter imagens do cérebro de alguns indivíduos que estavam lendo descrições de uma série de ações, como "morder um pêssego" e "pegar uma caneta". Mais tarde, quando os mesmos indivíduos assistiram a vídeos de pessoas realizando essas duas simples ações, as mesmas regiões corticais do cérebro se ativaram.[4] Se eu simplesmente escrever as palavras "unhas arranhando um quadro-negro", "chupar limão" ou "aranha viúva-negra gigante e peluda", é bem provável que você se retese, se encolha ou aperte os olhos enquanto as estiver lendo (a sua mente visualiza o som irritante, o gosto amargo do limão e as patas peludas subindo pelo seu tornozelo). São os seus neurônios-espelho em ação. Executivos da Unilever me disseram que, uma vez, durante uma discussão de grupo sobre um novo xampu, notaram que os consumidores começavam a coçar a cabeça toda vez que um membro da equipe dizia a palavra *coçar* ou *coçando*. Mais uma vez, os neurônios-espelho. Segundo os resultados de um estudo realizado com um IRMf, "ao lermos um livro, essas células especializadas reagem como se estivéssemos realmente fazendo o mesmo que o personagem".[5]

Em suma, se observamos alguém fazendo algo (ou se lemos a respeito), acabamos fazendo a mesma coisa — em nossa mente. Se você me visse tropeçando e caindo de cabeça escada abaixo, seus neurônios-espelho se ativariam e você saberia exatamente como eu estava me sentindo (apesar de você não ser tão desastrado quanto eu). Assim, os neurônios-espelho não apenas nos ajudam a imitar outras pessoas, mas são responsáveis pela empatia humana. Eles mandam sinais para o sistema límbico, ou a região emocional, do nosso cérebro — a área que nos ajuda a entrar em sintonia com os sentimentos e reações alheios — para que possamos vivenciar a sensação de caminhar — ou, nesse caso, tropeçar e se esborrachar — no lugar de outra pessoa.

O que Steve Jobs observou naquele dia em Nova York foi um bom exemplo dos neurônios-espelho em nossa vida quotidiana — e o papel que eles desempenham em nossa motivação para comprar. Da mesma maneira que fizeram o cérebro do macaco imitar mentalmente os movimentos do aluno de graduação, os neurônios-espelho nos fazem imitar mutuamente os comportamentos de consumo dos outros. Então, quando vemos um par de fones de ouvido estranhos saindo da orelha de alguém, nossos neurônios-espelho desencadeiam em nós um desejo de ter acessórios descolados iguais àqueles. Mas esse fenômeno vai além do simples desejo.

Para ver como isso acontece, vamos visitar rapidamente um shopping. Imagine que você é uma mulher passando na frente de uma vitrine da Gap. Um manequim bem-proporcionado trajando um jeans bem justo e no tamanho perfeito, uma blusa branca leve e uma bandana vermelha faz com que você pare imediatamente. O manequim está lindo — elegante, sensual, confiante, relaxado e atraente. Subconscientemente, apesar de ter engordado alguns quilos, você pensa: "Eu também poderia ficar bonita assim se comprasse aquela roupa. Poderia ser como aquele manequim. Com aquelas roupas, eu também poderia ter aquele frescor, aquele ar jovial e despreocupado." Pelo menos, isso é o que o seu cérebro está dizendo, esteja você consciente disso ou não. Sem nem perceber, você entra na Gap, saca o seu cartão Visa e sai 15 minutos mais tarde com o jeans, a blusa e a bandana debaixo do braço. É como se você tivesse acabado de comprar uma imagem, uma atitude — ou ambas. Ou, então, vamos imaginar que você é um homem solteiro andando pela Best Buy. Depois de caminhar pela seção de HDTVs de 52 polegadas, você testa um novo jogo de sucesso para Nintendo Wii chamado Guitar Hero 3: Legends of Rock, que permite que os jogadores pendurem a guitarra de plástico no pescoço e acompanhem canções como "Sunshine of Your Love", do Cream; "Even Flow", do Pearl Jam; e "Paint It Black", dos Rolling Stones. Você sempre quis ser um astro do rock — sua guitarra Fender comprada há trinta anos está acumulando poeira em casa — e essa é uma maneira rápida e sórdida de realizar a sua fantasia. Embora seja apenas um jogo, você se sente como se fosse Mick Jagger, Eric Clapton ou Eddie Vedder e, obviamente, acaba comprando um.

Da mesma maneira que o cérebro daquela mulher faz com que ela sinta como é ter o mesmo visual daquela modelo da Gap, o cérebro desse homem diz como seria realizar seus sonhos de roqueiro. Em ambos os casos, os neurônios-espelho subjugaram o pensamento racional e fizeram com que eles inconscientemente imitassem — e comprassem — o que estava à sua frente.

E é assim que os neurônios-espelho afetam nosso comportamento de consumo. Imagine como o comportamento de *outras* pessoas afeta a nossa experiência de consumo e, em última instância, influencia as nossas decisões de compra. Vamos analisar o sorriso, por exemplo. Dois pesquisadores criaram recentemente o Estudo do Sorriso — um levantamento sobre como a alegria, ou a felicidade, influencia os compradores. Eles pediram que 55 voluntários imaginassem que tinham acabado de entrar em uma agência de viagens fictícia. Uma vez lá dentro, os voluntários tinham de escolher uma pessoa, dentre três, com a qual interagir: uma mulher sorridente, uma que parecia desanimada e uma outra que parecia totalmente aborrecida. Quais voluntários você acha que relataram uma experiência (imaginária) mais positiva? Você adivinhou: aqueles que interagiram com a agente sorridente. O estudo revelou que um rosto sorridente "evoca mais alegria no sujeito-alvo do que um rosto não sorridente", e que também gera uma atitude muito mais positiva em relação à empresa em questão. E não é só isso: os voluntários que imaginaram a interação com uma pessoa sorridente disseram que teriam mais probabilidade de continuar a ser clientes daquela empresa.[6]

Segundo pesquisadores da Universidade Duke, não nos sentimos apenas atraídos por pessoas que sorriem, mas também tendemos a nos lembrar do nome delas. Em um estudo com um IRMf realizado em 2008, os professores Takashi Tsukiura e Roberto Cabeza mostraram aos participantes imagens de indivíduos sorridentes ou não, seguidas de seus nomes, como "Nancy", "Amber", "Kristy" e assim por diante. Os resultados revelaram que o córtex orbitofrontal dos participantes — a região do cérebro associada ao processamento de recompensas — estava mais ativo quando os participantes estavam aprendendo e rememorando os nomes dos indivíduos sorridentes. "Somos sensíveis a sinais sociais positivos", explicou Cabeza. "Queremos nos lembrar das pessoas que foram gentis conosco caso venhamos a interagir com elas no futuro."[7]

Os neurônios-espelho podem até reagir a coisas que vemos on-line. Veja o caso de um rapaz de 17 anos de Detroit, Michigan, chamado Nick Baily. Em 6 de novembro de 2006, a Nintendo lançou o tão aguardado sistema de jogos Wii — o console que permite que os jogadores simulem, por intermédio de um controle remoto portátil, o movimento de um rebatedor no beisebol, o arco de um saque no tênis, o deslizamento de uma bola de boliche e a corrida de um beque para chegar ao final do campo de futebol americano. Depois de 17 horas esperando na fila da sua filial local da loja de brinquedos Toys "R" Us, o estudante do último ano do ensino médio foi correndo para casa com a caixa do Wii debaixo do braço.

Bem, a maioria dos novos proprietários do Wii rasgaria resfolegante a caixa do jogo, ligaria o console ao televisor e testaria o novo brinquedo imediatamente. Mas não Nick Baily. Antes de abrir a caixa, ele montou sua câmera de vídeo, prendeu um microfone à camisa, ajustou os controles da câmera e apertou o botão de gravação. Só então, com a câmera funcionando, ele começou a abrir o seu Wii.

Algumas horas mais tarde, a grande estreia do Wii na casa de Nick podia ser vista no YouTube — e foi acessada aproximadamente 71 mil vezes só na primeira semana. Parece que o simples fato de assistir a outra pessoa se divertindo enquanto abre seu novo Wii proporcionava aos fãs da Nintendo quase tanto prazer quanto abrir seu próprio jogo. Na verdade, existem sites de compartilhamento de vídeo inteiramente dedicados a esse tipo de prazer delegado: em www.unbox.it.com e www.unboxing.com, os internautas podem assistir a estranhos de todo o mundo abrindo suas várias compras. Chad Stoller, diretor-executivo de Plataformas Emergentes da agência de publicidade Organic, explica: "É o ápice da luxúria. Há muitas pessoas que aspiram, que querem ter alguma coisa que está fora de seu alcance financeiro e que ainda não podem comprar. Estão procurando por uma maneira de saciar seu apetite." Ou talvez sejam somente os neurônios-espelho em ação.

Esse conceito de imitação é um fator importante na nossa motivação para comprar o que compramos. Você já se sentiu desinteressado, ou até mesmo repelido, por um certo produto e, depois de algum tempo, mudou de opinião? Talvez fosse um modelo de sapato que você achava medonho (os Crocs, digamos) até começar a vê-lo em vários pares de pés nas ruas. De repente, você passou de "Aquilo é feio" para "Preciso ter isso *agora*". O meu argumento é que, às vezes, o simples fato de ver repetidamente um certo produto o torna mais desejável. Vemos modelos em revistas de moda e queremos nos vestir ou nos maquiar como elas. Assistimos aos ricos e famosos dirigindo carros caros e rodopiando em suas casas prodigamente decoradas e pensamos: "Quero viver assim."

Vemos os atraentes televisores de LCD ou os telefones Bang & Olufsen de nossos amigos e, pelo amor de Deus, queremos um igual.

Mas os neurônios-espelho não funcionam sozinhos. Muitas vezes agem em conjunto com a dopamina, uma das substâncias químicas cerebrais ligadas ao prazer. A dopamina é uma das substâncias mais viciantes para os seres humanos — e decisões de compra são motivadas em parte por seus efeitos sedutores. Quando você vê aquela câmera digital reluzente, ou aqueles brincos de diamante cintilantes, por exemplo, a dopamina sutilmente inunda o seu cérebro de prazer e, depois, vupt!, antes que você perceba já assinou o recibo do cartão de crédito (os pesquisadores geralmente concordam que são necessários menos de 2,5 segundos para tomarmos uma decisão de compra).[8] Alguns minutos mais tarde, ao sair da loja com a sacola na mão, os sentimentos de euforia causados pela dopamina regridem e, de repente, você se pergunta se algum dia vai realmente usar aquela maldita câmera ou aqueles brincos. Isso parece familiar?

Todos nós certamente já ouvimos o termo "terapia do consumo". E, como todos sabemos, não importa se somos fissurados por sapatos, CDs ou aparelhos eletrônicos, comprar pode se tornar um vício. Comprar — qualquer coisa, de chocolates Twinkies a geladeiras Maytag ou relógios Bulgari — se tornou, no mínimo, uma enorme parte do que fazemos durante nosso tempo livre. Mas será que isso nos torna realmente mais felizes? Todos os indicadores científicos dizem que *sim* — pelo menos em curtíssimo prazo. E essa dose de felicidade pode ser atribuída à dopamina, a substância química que inunda o cérebro de recompensa, prazer ou bem-estar. Quando tomamos a decisão de comprar algo, as células cerebrais que liberam dopamina secretam uma explosão de bem-estar, e esse afluxo de dopamina alimenta o instinto de continuar comprando mesmo quando nossa mente racional diz que já chega. O professor David Laibson, um economista da Universidade Harvard, diz o seguinte: "O cérebro emocional quer estourar o limite do cartão de crédito, apesar de o cérebro lógico saber que devemos poupar para a aposentadoria."[9]

Esse fenômeno, acredite se quiser, remonta ao nosso instinto primordial de sobrevivência. A dra. Susan Brookheimer destaca: "A atividade da dopamina no cérebro aumenta quando há expectativa de muitos tipos diferentes de recompensa, desde aquelas ligadas a jogos de azar até recompensas de ordem monetária ou social."[10] Em outras palavras, aquela louca descarga de prazer que sentimos quando estamos na expectativa de comprar, digamos, um BlackBerry ou um iPod Nano pode na verdade estar nos ajudando a incrementar nosso sucesso reprodutivo e nos preparando para a sobrevivência. Por quê? Porque, conscientemente ou não, calculamos as compras com base em sua possibilidade de nos trazer ou não status social — e o status está ligado ao sucesso reprodutivo.

Na verdade, os cientistas descobriram que uma região no córtex frontal do cérebro chamada área 10 de Brodmann, que é ativada quando vemos produtos que achamos "legais" (ao contrário de um velho Ford Fairlane, por exemplo, ou de um novo jogo de chaves de roda), está associada à percepção de si mesmo e às emoções sociais. Em outras palavras, conscientemente ou não, em grande parte das vezes avaliamos objetos atraentes — iPhones, Harley-Davidsons e coisas do gênero — por sua capacidade de promover nosso status social. Portanto, aquele novo e provocante vestido Prada ou aquele Alfa Romeo reluzente pode ser exatamente o que precisamos para atrair um parceiro e dar continuidade à nossa linha genética ou assegurar nosso sustento pelo resto da vida.[11]

Então, onde está a ligação entre dopamina e neurônios-espelho? Vamos dar uma olhada em nossos cérebros em ação enquanto visitamos a Abercrombie & Fitch, a meca das roupas para adolescentes e pré-adolescentes. Em muitas de suas lojas, especialmente naquelas localizadas em grandes concentrações urbanas, a empresa coloca pôsteres gigantescos de modelos com poucas roupas logo após a porta de entrada. E não só isso: também contrata modelos de verdade para que, agrupados, passem o tempo na frente da loja. Naturalmente, tanto nos pôsteres quanto na frente das lojas, os modelos estão trajando (pelo menos um mínimo de) roupas da Abercrombie que ressaltam suas formas, criando um visual fantástico — juvenil, sensual, saudável e acintosamente bonito. Sem dúvida, eles fazem parte de um grupo popular e descolado (na loja da Abercrombie na Quinta Avenida em Nova York, você pode notar que dezenas, se não centenas, de pedestres desaceleram o passo e se demoram um pouco perto deles). Digamos que você seja um jovem de 14 anos socialmente inseguro. Ao passar pela loja, seus neurônios-espelho disparam. Você consegue se imaginar no meio daquelas pessoas: popular, desejado e no centro das atenções.

Então — sem conseguir se conter —, você entra na loja. O lugar é projetado para parecer um *nightclub* escuro e barulhento, e as pessoas que trabalham lá são tão sinuosas e bonitas quanto os modelos no pôster e na calçada do lado de fora. Uma das vendedoras pergunta se pode ajudar. "Me ajudar?", seu cérebro ecoa. "Claro que pode — você pode me ajudar a *ser você*." Você inala aquela forte fragrância característica da Abercrombie, que fica entranhada em suas narinas por um bom tempo depois que você sai da loja — e, antes mesmo de experimentar uma única peça de roupa, seu cérebro já foi conquistado.

Você se aproxima do balcão com a roupa que acabou de escolher. Enquanto se prepara para gastar uma nota em jeans e suéteres, o seu nível de dopamina dispara e atinge a estratosfera. Enquanto a vendedora recebe o pagamento e põe as suas compras naquela linda bolsa da Abercrombie coberta de fotos em preto e branco de modelos de torso nu, você se sente poderoso e lindo — sente que é um "deles". Isso produz uma sensação que o cérebro automaticamente conecta aos modelos lá fora, ao aroma forte e onipresente e à atmosfera notívaga da própria loja — e, ao pôr aquela linda bolsa debaixo do braço, você está levando junto um pouquinho daquela popularidade.

Alguns dias mais tarde, você está caminhando pela rua quando vê outra loja da Abercrombie. Na verdade, primeiro sente o cheiro, a cem metros de distância — e isso remete à descarga de dopamina a que você foi submetido da última vez que esteve lá dentro. Mais uma vez, os neurônios-espelho absorvem a imagem dos modelos escassamente vestidos que adornam a entrada da loja e dos modelos que são pagos para ficar à toa do lado de fora e, irresistivelmente, como que puxado por um fio de prata, você é atraído para dentro em busca de outra dose de prazer e recompensa — e mais uma despesa no cartão de crédito dos seus pais. Contra os neurônios-espelho, que fazem com que você se sinta sensual e atraente, e a dopamina, que cria aquela expectativa de recompensa quase orgástica, a sua mente racional não tem chance.

Como vimos, *videogames* como o Guitar Hero 3, jogos de computador como The Sims e sites de ambientes virtuais como o Second Life devem sua popularidade, em grande parte, aos neurônios-espelho. Se executamos um *riff* complicado no Guitar Hero ou compramos um Beamer novo em folha no Second Life, nossos neurônios-espelho nos ajudam a estabelecer uma conexão emocional com essas realidades virtuais. Então, mesmo estando sentados num porão escuro na frente de uma tela brilhante, esses jogos nos oferecem um modo virtual de obter a mesma descarga de prazer que sentiríamos se estivéssemos vivenciando essas fantasias e sonhos em nossa vida real.

Agora sabemos por que os atores que fumam na tela nos fazem sentir vontade de pegar nossos maços ou de começar a fumar (é provável que metade dos fumantes adolescentes — 390 mil anualmente — adquiram esse hábito por causa dos cigarros nos filmes); por que modelos magras como um caniço causaram um aumento assustador nos casos de anorexia entre meninas; por que quase todos os homens no universo podem citar Michael Corleone em *O poderoso chefão*; por que a Macarena se tornou uma mania e se espalhou; e por que sentimos a destreza dos movimentos de Michael Jackson em nossas veias da primeira vez que o vimos executar os passos do seu *moonwalking*, e saímos correndo para comprar *Thriller* (junto com uma única luva branca, que se tornou um grande fenômeno de merchandising). E eu prevejo que, no futuro, à medida que começarem a conhecer melhor como os neurônios-espelho guiam nosso comportamento, os profissionais de marketing vão descobrir cada vez mais maneiras de utilizá-los para nos fazer comprar.

Então, tenham cuidado, consumidores! Porque o futuro da publicidade não está nas propagandas enganosas — está nos neurônios-espelho. E eles vão se revelar mais poderosos do que os próprios profissionais de marketing podiam imaginar para guiar nossa lealdade, nossa mente, nossa carteira e nossa "lógica de consumo".

Como? Bem, para descobrir, vamos primeiro atravessar o Atlântico e ir até um laboratório de imagens cerebrais, em uma cidade universitária no centro da Inglaterra. Vamos voltar aos cigarros e ao desejo de fumar e ver como os sinais subliminares que nos atacam a partir dos pôsteres, prateleiras e talvez até mesmo da nossa sala de estar podem nos fazer comprar. E um aviso: o que estamos prestes a ver (ou melhor, a não ver) poderá chocá-lo.

4
NÃO CONSIGO MAIS VER COM CLAREZA
Mensagens subliminares, vivas e fortes

Era o verão de 1957. Dwight D. Eisenhower havia iniciado seu segundo mandato; Elvis havia feito sua última aparição no *Ed Sullivan Show*; *On The Road* — *Pé na estrada*, de Jack Kerouac, chegava às livrarias; e, em um período de seis semanas, 45.699 espectadores se amontoaram dentro do cinema em Fort Lee, Nova Jersey, para assistir a William Holden, um ex-jóquei que se tornara um andarilho, se apaixonar por Kim Novak, uma garota do Kansas já comprometida, na versão cinematográfica da peça *Picnic*, de William Inge.

Mas, sem que a plateia soubesse, aquela versão cinematográfica chamada *Férias de amor* tinha uma variação aparentemente sinistra. Na verdade, um pesquisador de mercado chamado James Vicary havia colocado um projetor de slides mecânico na sala de projeção e havia lançado na tela as palavras "Beba Coca-Cola" e "Coma pipoca" durante 1/3.000 de segundo a cada cinco segundos, durante todas as sessões do filme.

Vicary, famoso até hoje por ter cunhado a expressão *propaganda subliminar*, afirma que, durante a experiência, houve no cinema em Fort Lee um aumento de 18,1% nas vendas de Coca-Cola e uma disparada de 57,8% na venda de pipoca, tudo graças aos poderes de sugestão de suas mensagens ocultas.

A experiência tocou um ponto nevrálgico do público americano, já tenso por causa da paranoia da Guerra Fria e exaltado com a publicação do livro *Nova técnica de convencer*, de Vance Packard, que expunha os métodos psicologicamente manipuladores que os profissionais de marketing estavam levando para a publicidade. Os consumidores estavam convencidos de que o governo podia usar os mesmos tipos de técnicas ocultas para fazer propaganda política, ou de que os comunistas as usariam para recrutar correligionários, ou de que seitas poderiam usá-las para fazer lavagem cerebral em seus membros. Consequentemente, as redes de televisão americanas e a Associação Nacional das Emissoras proibiram os anúncios subliminares em junho de 1958.

Em 1962, o dr. Henry Link, presidente da Psychological Corporation, desafiou Vicary a repetir seu teste de Coca-Cola e pipoca. Entretanto, daquela vez, a experiência não gerou nenhum salto nas vendas de Coca-Cola nem de pipoca. Em uma entrevista à revista *Advertising Age*, Vicary surpreendentemente admitiu que sua experiência era um truque — ele havia inventado tudo. O projetor de slides mecânico, o aumento nas vendas de pipoca e Coca-Cola... — nada daquilo era verdade. Apesar da confissão de Vicary, o estrago estava feito, e uma crença no poder das mensagens subliminares havia sido firmemente inculcada na mente do público norte-americano.

Logo depois, a Associação Psicológica Americana decretou a publicidade subliminar "confusa, ambígua e não tão eficaz quanto a publicidade tradicional", e a questão — e a proibição — pareciam ter caído no esquecimento.[1] Previsivelmente, a paranoia dos consumidores em relação ao assunto esmoreceu, como em todas as vezes que, nos cinquenta anos seguintes, consumidores e grupos de defesa clamaram por leis mais rígidas, resultando apenas na incapacidade do governo de aprovar uma legislação federal específica.

No entanto, 15 anos após a pseudoexperiência de Vicary, o dr. Wilson B. Key publicou o livro *Subliminal Seduction*, cuja capa trazia a fotografia de um coquetel com uma casca de limão dentro, acompanhada de um uma frase irresistível: "Você está ficando sexualmente excitado com esta foto?" Logo, uma nova onda de paranoia varreu o país. Dessa vez, a FCC (Comissão Federal de Comunicação dos EUA) anunciou em janeiro de 1974 que as técnicas subliminares na publicidade, quer funcionassem ou não, eram "contrárias ao interesse público" e, portanto, qualquer estação que as usasse corria o risco de perder sua licença de transmissão.[2]

Ainda hoje, não há proibições explícitas à publicidade subliminar nos Estados Unidos ou no Reino Unido, embora a Comissão Federal de Comércio tenha adotado uma postura oficial segundo a qual a publicidade subliminar, "que faz com que os consumidores selecionem inconscientemente certos bens ou serviços ou alterem seu comportamento normal, pode constituir uma prática enganosa ou injusta".[3] A ênfase aqui está no verbo *pode* — até hoje, não há nenhuma norma ou diretriz oficial que estipule o que constitui uma publicidade subliminar.

Grosso modo, as mensagens subliminares são definidas como mensagens visuais, auditivas ou sensoriais que estão um pouco abaixo do nosso nível de percepção consciente e que só podem ser detectadas pela mente subconsciente. Todavia, apesar do alarde e da preocupação que cercaram a publicidade subliminar ao longo dos últimos cinquenta anos, essa é uma questão que tende a ser tratada com afável condescendência. "Quem eles acham que estão enganando?", é como a maioria de nós reage toda vez que uma história sobre publicidade subliminar aparece no noticiário, quer seja um relato da logomarca do McDonald's piscando por 1/30 de segundo durante o programa *Iron Chef America*, do Food Channel (um porta-voz do canal afirmou que foi um erro técnico) ou um boato infundado de que uma nuvem de poeira no desenho *O rei leão*, da Disney, forma as letras "s-e-x".

Acusações de mensagens subliminares ainda surgem de tempos em tempos, especialmente em filmes. Em 1973, durante uma sessão de *O exorcista*, uma pessoa aterrorizada na plateia desmaiou e quebrou a mandíbula na poltrona à sua frente. Processou a Warner Brothers e os produtores do filme dizendo que as imagens subliminares do rosto de um demônio que lampejavam ao longo da projeção haviam causado o desmaio.[4] E, em 1999, alguns espectadores acusaram os produtores do filme *Clube da luta* de manipulação subliminar, afirmando que eles haviam inserido imagens pornográficas de Brad Pitt no filme numa tentativa deliberada, segundo um site, de intensificar "a mensagem antitrabalho e o tom revolucionário" do filme.

Acusações de manipulação subliminar foram feitas contra músicos, de Led Zeppelin (toque "Stairway to Heaven" ao contrário e, supostamente, você ouvirá "Oh, here's to my sweet Satan" ["Ah, saudações ao meu caro Satã"]) até Queen ("Another One Bites the Dust" tocada ao contrário supostamente soa como "It's fun to smoke marijuana" ["Fumar maconha é divertido"]).

E na cidade de Nevada, em 1990, dois garotos de 18 anos tentaram se suicidar. Seus pais levaram a banda britânica de *heavy metal* Judas Priest aos tribunais sob a acusação de que o grupo havia inserido mensagens subliminares — entre as quais "Let's be dead" ["Vamos morrer"] e "Do it" ["Faça"] — em letras de canções. Embora os dois rapazes tivessem abandonado a escola e viessem de famílias muito problemáticas, um deles sobreviveu à tentativa de suicídio e disse em uma carta: "Acho que o álcool e a música *heavy metal* como a do Judas Priest nos hipnotizaram."[5] Mais tarde, a ação judicial foi recusada.

Muitas vezes, as mensagens subliminares, quando aparecem em nossa cultura, estão vendendo sexo. Veja por exemplo o anúncio nas Páginas Amarelas de uma empresa inglesa de pavimentação chamada D.J. Flooring, cujo slogan é "Laid by the Best" (um trocadilho com a palavra *laid* que, na língua inglesa, tem o duplo significado de assentar a pavimentação e levar alguém para a cama). Na posição vertical, esse anúncio mostra a imagem de uma mulher segurando uma taça de champanhe, mas, se você o inclinar, verá a imagem de uma mulher se masturbando. Em uma montagem de anúncios impressos que alguém me mostrou uma vez, vi a propaganda de um aparelho de ginástica que mostrava um rapaz de torso nu, com um abdômen bem definido, no qual aparecia a silhueta de um pênis ereto — ou será que eu, e todas as outras pessoas, imaginamos aquilo? O segundo anúncio, de uma empresa de ketchup, mostrava um cachorro-quente e, em cima, uma gota de ketchup saindo de uma embalagem que lembrava uma língua humana. E um exemplo recente mostra uma mulher com seus dedos bem-tratados repousando sobre um *mouse* de computador que estranhamente sugere um clitóris.

Em 1990, a Pepsi teve de retirar do mercado as latas com um dos designs especiais "Cool Can" quando um consumidor reclamou que, ao serem empilhados de uma certa maneira nas prateleiras, as embalagens com seis latinhas produziam uma padronagem que formava a palavra "sex". Um gerente de publicidade da Pepsi negou qualquer segunda intenção e disse apenas: "As latas foram projetadas para serem bonitas, divertidas e diferentes; algo que chamasse a atenção dos consumidores." Enquanto isso, um porta-voz da Pepsi insistia que a mensagem era uma "estranha coincidência".[6] Com certeza...

Mas nem todas as mensagens subliminares são tão sutis assim. Hoje, algumas lojas tocam gravações de jazz ou música latina (disponíveis em mais de um site na internet) com mensagens ocultas — imperceptíveis para a nossa mente consciente — visando incitar os compradores a gastar mais ou desestimular furtos nas lojas. Dentre as mensagens estão: "Não se preocupe com o dinheiro", "Imagine que você tem um assim" e "Não roube, você será pego". Segundo um fornecedor, o faturamento total das lojas que tocam essas gravações subiu 15%, ao passo que os furtos diminuíram 58%.

E se, como eu há muito tempo acredito, a publicidade subliminar pode ser entendida como mensagens subconscientes transmitidas pelos publicitários em uma tentativa de nos atrair para um produto, ela é muito mais predominante do que as pessoas imaginam. Afinal, no mundo atual, excessivamente cheio de estímulos, inúmeras coisas passam despercebidas pelo nosso radar consciente todo dia. Pense na música de Gershwin que está tocando na loja de roupas enquanto procuramos um novo e elegante terno de verão — é claro, podemos ouvi-la, mas estamos distraídos demais para registrar conscientemente o fato de que ela está tocando. E as letras miúdas na embalagem chamativa de um produto? Estão bem na frente dos nossos olhos, mas estamos superestimulados pelas cores brilhantes, a tipografia sofisticada e o texto sagaz para realmente lê-las. E quanto aos aromas que são borrifados em cassinos, cabines de aviões, quartos de hotel e carros que acabaram de sair da linha de montagem? (Odeio ter de dizer isto a você, mas aquele sedutor cheiro de carro novo sai de uma lata de aerossol.) Essas não são mensagens essencialmente subliminares? Não poderíamos dizer inclusive que, com tantos anúncios na tevê e nas revistas, e *pop-ups* na internet que solicitam constantemente a nossa atenção, essas mensagens também se tornaram subliminares, no sentido de que *quase* não as registramos?

E há aqueles anunciantes que usam abertamente a publicidade subliminar. Em 2006, o KFC veiculou um anúncio para o seu sanduíche de galinha Buffalo Snacker que, se exibido novamente em câmera lenta, revelava um código que os consumidores podiam inserir no site do KFC para receber um cupom de sanduíche grátis. Embora o objetivo fosse enfrentar um aumento das tecnologias que permitem que os anúncios sejam pulados, como o TiVo, oferecendo aos espectadores um incentivo para realmente assistir ao comercial, o KFC estava usando mensagens ocultas (se o anúncio fosse visto em velocidade normal, os códigos não eram conscientemente perceptíveis) para promover seu produto.[7] Ou-

A LÓGICA DO CONSUMO | 71

tros anunciantes descobriram uma maneira de fazer com que impressões de uma fração de segundo funcionem, mas não as chamam mais de "subliminares". Na década de 1990, elas ganharam um outro nome: "evocações" ou "alertas visuais". Em 2006, a Clear Channel Communications introduziu os "blinks", anúncios de rádio que duram cerca de dois segundos, em suas redes de rádios comerciais. Em um "blink" anunciando *Os Simpsons*, por exemplo, os ouvintes escutam Homer gritando "U-hu!" em cima do tema musical do programa antes que um locutor diga: "Hoje à noite, na Fox."

E, se os candidatos políticos se tornaram marcas (o que, a meu ver, é verdade), a publicidade subliminar, ou evocação, está viva e forte nas mensagens políticas. Um exemplo recente é o anúncio produzido em 2000 pela Comissão Republicana Nacional, no qual George W. Bush critica o plano de medicamentos de Al Gore para os idosos. O slogan: "The Gore prescription plan: bureaucrats decide" ["O plano de medicamentos de Gore: os burocratas decidem"]. Depois, no final do anúncio a palavra *rats* ("ratos", parte da palavra inglesa *bureaucrats*) aparece rapidamente em letras grandes por uma fração de segundo, enquanto uma voz em *off* reitera a frase: "Bureaucrats decide." A equipe da campanha de Bush disse que a produtora do anúncio deve ter "errado acidentalmente na divisão das sílabas de 'bureaucrats', colocando 'bureauc' e 'rats' em fotogramas diferentes".[8] George W. Bush considerou a polêmica "estranha e bizarra", mas, depois de afirmar que o fato era "puramente acidental", seu criador, Alex Catellanos, confessou que a palavra *rats* era um "alerta projetado para fazer você olhar para a palavra *bureaucrats*".[9]

Depois, em 2006, houve o incidente com Harold Ford. Ford, mulato, estava numa disputa acirrada em Tennessee por uma cadeira no Senado contra o republicano Bob Corker, branco. No que só podia ser interpretado como um ataque explícito — ainda que subliminar — à cor da pele de Ford, Corker e a Comissão Nacional Republicana produziram um anúncio no qual toda vez que o narrador falava de Ford, um toque de tambor africano, que mal dava para ser ouvido, soava ao fundo. O arremate estava nas palavras finais: "Harold Ford: He's Just Not Right" ("Harold Ford: ele simplesmente não está certo"). Era possível inferir que aquilo que a Comissão Nacional Republicana queria realmente dizer era "he's just not white" ("ele simplesmente não é branco").

Claramente, a publicidade subliminar permeia muitos aspectos da nossa cultura e nos acomete diariamente. Mas será que exerce realmente alguma influência sobre o nosso comportamento ou, como a maioria dos casos de merchandising, é basicamente ignorada por nosso cérebro? É isso que a próxima parte do meu estudo descobriria.

EM 1999, PESQUISADORES DA UNIVERSIDADE HARVARD testaram o poder das sugestões subliminares em 47 pessoas entre 60 e 85 anos de idade. Os pesquisadores exibiram uma série de palavras em uma tela por alguns milésimos de segundo enquanto os voluntários manipulavam um jogo de computador que, de acordo com o que havia sido dito, media a relação entre suas habilidades físicas e mentais. Um grupo de idosos foi exposto a palavras positivas, dentre as quais *sábio, astuto* e *competente*. Ao outro grupo, foram exibidas palavras como *senil, dependente* e *doente*. O objetivo dessa experiência era ver se a exposição dos idosos a mensagens subliminares que sugeriam estereótipos relativos ao envelhecimento podia afetar seu comportamento, em especial sua capacidade de andar.

Depois, a equipe de Harvard mediu a velocidade com que os participantes andavam e o chamado "intervalo de oscilação" (o tempo que eles ficavam com um pé fora do chão), e, segundo o pesquisador-chefe, o professor de medicina Jeffrey Hausdorff, descobriu que "o caminhar dos que foram expostos a palavras positivas melhorou quase 10%". Em outras palavras, parece que os estereótipos positivos surtiram um efeito psicológico positivo nos participantes, que, por sua vez, melhoraram seu desempenho físico. Parecia haver indícios irrefutáveis de que as sugestões subliminares podiam afetar o comportamento das pessoas.

Mensagens subliminares já foram utilizadas até para influenciar o quanto estamos dispostos a pagar por um produto. Recentemente, dois pesquisadores demonstraram que uma breve exposição a imagens de rostos sorridentes ou zangados durante 16 milissegundos — tempo insuficiente para que os voluntários registrassem conscientemente a imagem ou identificassem a emoção — afetou a quantidade de dinheiro que os participantes do estudo estavam dispostos a pagar por uma bebida. Quando os participantes viam imagens rápidas de rostos sorridentes, serviam uma quantidade significativamente maior da bebida que estava em uma jarra — e estavam dispostos a pagar o dobro por ela — do que quando viam rostos zangados. Os pesquisadores chamaram esse efeito de "emoção inconsciente", o que significa que uma pequena mudança emocional havia acontecido sem que os participantes tivessem conhecimento do estímulo que a havia causado ou de qualquer mudança em seu estado emocional. Em outras palavras, rostos sorridentes podem nos fazer subconscientemente comprar mais coisas, o que sugere que os gerentes de lojas que instruem os funcionários a sorrir estão no caminho certo.[10]

Ou pense no seguinte: a origem de um produto pode até influenciar subconscientemente nossa propensão a comprá-lo. Recentemente, fui convidado a ir à Alemanha para ajudar uma marca de perfumes a levantar sua abalada posição no mercado. Quando olhei para o frasco para ver onde a fragrância era fabricada, notei que, em vez das cidades tipicamente glamourosas (Nova York, Londres, Paris) que a maioria dos perfumistas estampam em suas embalagens, a empresa havia listado cidades decididamente menos glamourosas. Bem, Düsseldorf e Oberkochen podem ser lugares fantásticos nos quais morar, mas a maioria dos consumidores não os associa a sofisticação, sensualidade ou a outras qualidades luxuosas que procuramos em uma fragrância. Entre outras coisas, convenci a empresa a trocar aquelas cidades por outras, nas quais todos sonhamos em passar longas e encantadoras férias (não estávamos mentindo: a empresa *realmente* tinha escritórios em Paris, Londres, Nova York e Roma) — e as vendas dispararam quase instantaneamente.

Mas o poder da publicidade subliminar tem pouco a ver com o próprio produto. Na verdade, ele reside em nosso cérebro. Em 2005, um estudante de pós-doutorado da Universidade da Pensilvânia chamado Sean Polyn usou um IRMf para estudar como o cérebro procura lembranças específicas. Aos voluntários, foram mostradas aproximadamente noventa imagens separadas em três categorias diferentes: rostos famosos (Halle Berry, Jack Nicholson), lugares conhecidos (por exemplo, o Taj Mahal) e objetos comuns do quotidiano (como cortadores de unhas). À medida que o cérebro dos participantes registrava aquele conjunto de imagens, Polyn pedia que eles colocassem a imagem em questão em um contexto mental distintivo. Por exemplo, eles adoravam ou detestavam Jack Nicholson? Será que alguma vez teriam algum interesse remoto em visitar o Taj Mahal?

Pouco tempo depois, Polyn pediu aos voluntários para recuperar na memória aquelas imagens. Enquanto lutava para encontrá-las, o cérebro de cada participante exibia exatamente o mesmo padrão de atividade cerebral que estava presente quando formou aquela impressão. Na verdade, Polyn e sua equipe descobriram evidências de que os participantes eram capazes de recuperar em qual categoria — celebridades, lugares famosos, objetos quotidianos — estava a imagem antes mesmo de lembrar do nome da imagem, o que sugere que o cérebro humano é capaz de recuperar imagens antes que elas fiquem registradas na nossa consciência.

Mas, mesmo que o cérebro consiga resgatar informações que estão abaixo do nível de consciência, será que isso significa que essa informação necessariamente molda o comportamento? Isso é o que nossa próxima experiência de rastreamento cerebral nos ajudaria a descobrir. Os participantes do estudo eram, novamente, vinte fumantes do Reino Unido. Mas, dessa vez, estávamos investigando mais do que imagens de advertência. Essa pesquisa relacionada a cigarros levantava questões a respeito de mensagens subliminares que eu sempre quisera resolver: os fumantes são afetados pelas imagens subjacentes a seu nível de consciência? Será que o desejo de fumar pode ser desencadeado por imagens ligadas a uma marca de cigarro, mas não explicitamente ao ato de fumar — como por exemplo a visão de uma Ferrari com um tom vermelho Marlboro ou um camelo caminhando em direção ao pôr do sol nas montanhas? Os fumantes precisam ler as palavras *Marlboro* ou *Camel* para que os pontos ligados ao desejo em seu cérebro os incitem a abrir um maço de cigarros? A propaganda subliminar, aquelas mensagens secretamente transmitidas para satisfazer os nossos sonhos, medos, carências e desejos, é eficaz no estímulo do nosso interesse por um produto ou do nosso impulso de compra?

MAS ANTES DE CHEGARMOS AO NOSSO TESTE de IRMf e seus surpreendentes resultados, vamos fazer uma pequena experiência mental por nossa conta. Imagine que você tenha acabado de entrar em um bar de primeira classe no qual a clientela é jovem, bonita e descolada, os drinques têm nomes exóticos como Flirtini e a comida é maravilhosamente minimalista e custa os olhos da cara. Ao entrar, você logo percebe a requintada forração em um tom de vermelho familiar que cobre as cadeiras e sofás, mas um amigo lá do outro lado do salão o está chamando, tem uma música alta tocando e, ao tentar atravessar a multidão, com seus olhos fixos no coquetel aparentemente delicioso que chama a sua atenção lá no balcão, todas essas impressões conscientes do entorno são logo esquecidas.

Estranhamente, você de repente sente uma vontade irrefreável de fumar um Marlboro, embora não saiba bem por quê.

Coincidência? Dificilmente. Graças a proibições mundiais a anúncios de cigarro em televisões, revistas e quase todas as outras mídias, as fabricantes de cigarros, dentre as quais a Philip Morris, que produz o Marlboro, e a R.J. Reynolds Tobacco Company, que detém a marca Camel, direcionam uma enorme porcentagem de seu orçamento de marketing para esse tipo de exposição subliminar de marcas. A Philip Morris, por exemplo, oferece aos donos de bar incentivos financeiros para que eles encham seus estabelecimentos com esquemas cromáticos, móveis especialmente projetados, cinzeiros, azulejos sugestivos com formatos atraentes semelhantes a partes da logomarca do Marlboro e outros símbolos sutis que, quando combinados, transmitem a própria essência do Marlboro — sem sequer mencionar o nome da marca ou exibir a logomarca em si. Essas "instalações" ou "Hotéis Marlboro", como são conhecidos no ramo, geralmente consistem em salões cheios de confortáveis sofás forrados de vermelho Marlboro posicionados em frente a televisores que ficam passando cenas do Velho Oeste — com seus rústicos caubóis, cavalos galopantes, amplos espaços abertos e imagens de poentes avermelhados projetados para evocar a essência do icônico "Homem Marlboro".

Para garantir ao seu produto a maior exposição possível, a Marlboro também comercializa roupas e acessórios de caubói rústicos e colecionáveis, incluindo luvas, relógios, bonés, echarpes, botas, coletes, jaquetas e jeans, que visam evocar associações com a marca. A loja Dunhill em Londres vende artigos de couro, relógios, roupa masculina, acessórios e até uma fragrância para reforçar a imagem luxuosa da marca. Na Malásia, a Benson & Hedges até patrocinou cafeterias temáticas vendendo seus produtos com a logomarca dourada do cigarro. O gerente de uma dessas cafeterias diz o seguinte: "A ideia é ser acessível aos fumantes. Os fumantes associam café e cigarros. São, de certa forma, dois tipos de droga."[11]

Donna Sturgess, a chefe global de inovação para o mercado de consumo da GlaxoSmithKline, resume bem esse fenômeno: "É uma infeliz

76 | MARTIN LINDSTROM

ironia que, por causa das proibições governamentais, as empresas fabricantes de cigarros tenham dado um salto para o futuro — e começado a utilizar mídias, métodos e veículos alternativos para impulsionar seus negócios. De fato, as fabricantes de cigarros foram forçadas a desenvolver toda uma nova série de habilidades."

Habilidades essas que incluem patrocínio mundial de eventos esportivos — a bem saber, os eventos da NASCAR e da Fórmula Um. A NASCAR (Associação Nacional de Corridas de Stock-Car) supervisiona aproximadamente 1.500 corridas anualmente em mais de cem pistas nos Estados Unidos, Canadá e México, e transmite suas provas para mais de 150 países. Nos Estados Unidos, esse é o segundo esporte profissional mais popular em audiência televisiva, ficando atrás apenas da National Football League, e seus quase 75 milhões de fãs compram mais de três bilhões de dólares anualmente em produtos licenciados. Segundo o site da NASCAR, os fãs "são considerados os mais fiéis a marcas de todos os esportes e, por isso, as quinhentas maiores empresas norte-americanas apontadas pela *Fortune* patrocinam mais a NASCAR do que qualquer outra associação ou federação esportiva".[12]

A Fórmula Um tem sua origem na Europa, que permanece sendo o seu principal mercado, e organiza Grandes Prêmios muito divulgados. É um esporte cuja popularidade amplamente difundida representa outra grande oportunidade de patrocínio.

Por quê? Pense a respeito: se os seus anúncios tivessem sido retirados da tevê e banidos por governos de todo o mundo, que outra maneira comunicaria melhor aquela sensação de risco, modernidade, jovialidade, dinamismo, vivacidade e ousadia (em oposição a, digamos, estar preso a um respirador de hospital) do que patrocinando uma corrida de automóveis? Que tal patrocinar a equipe Ferrari durante as corridas de Fórmula Um? Pinte um carro de vermelho Marlboro. Vista o piloto e a escuderia com macacões de um vermelho forte. Depois, é só recostar na sua poltrona e relaxar.

Até que ponto essas táticas subjacentes são eficazes? Estava na hora de testar a publicidade subliminar de cigarros usando duas marcas icônicas e muito populares: Marlboro e Camel.

MUITOS MESES ANTES DE REALIZAR O estudo sobre a eficácia — ou, como foi demonstrado, a ineficácia — das advertências de saúde nos maços de cigarro que descrevi no Capítulo 1, havíamos mostrado a voluntários americanos um dos comerciais televisivos antitabagistas mais repugnantes (e, a meu ver, eficazes) que já vi. Um grupo de pessoas está sentado, batendo papo e fumando. Todos estão se divertindo bastante, a não ser por um problema: em vez de fumaça, espessos glóbulos amarelo-esverdeados de gordura estão saindo da ponta dos cigarros, congelando-se, amalgamando-se e esparramando-se em seus cinzeiros. Quanto mais os fumantes falam e gesticulam, mais aqueles rolos de gordura semelhantes a lagartas caem na mesa, no chão, nas mangas de suas camisas, por toda parte. Obviamente, o argumento é que o fumo propaga aqueles mesmos glóbulos de gordura por sua corrente sanguínea, entupindo suas artérias e devastando sua saúde.

Mas, assim como no caso das imagens de advertência nos maços de cigarro, as áreas de desejo no cérebro dos voluntários foram ativadas por esse anúncio. Eles não ficaram desestimulados por causa das imagens asquerosas de gordura entupindo artérias; mal as notaram. Em vez disso, os neurônios-espelho em seus cérebros se concentraram na atmosfera festiva que estavam observando — e suas "áreas de desejo" foram ativadas. Outra poderosa mensagem antitabagista foi facilmente destruída.

Em outras palavras, as mensagens antitabagistas claras, diretas e visualmente explícitas estimularam mais o fumo do que qualquer campanha que pudesse ser imaginada pela Marlboro ou Camel. Mas estava na hora de testar os anúncios *subliminares* de cigarros.

Um caubói bonito com uma paisagem rústica que se descortina às suas costas. Dois homens cavalgando a trote. Uma montanha do Oeste dos EUA. Um jipe descendo uma sinuosa estrada de montanha. Um pôr do sol da cor de um batom. Um deserto ressequido. Ferraris de um vermelho vivo. A parafernália das corridas da Fórmula Um e da Nascar, incluindo carros e mecânicos com macacões de um vermelho inconfundível. Essas foram algumas das imagens que mostramos aos nossos voluntários.

As imagens tinham duas coisas em comum. Primeiro, estavam todas associadas a comerciais de cigarros desde os tempos em que os governos permitiam tais anúncios (e não esqueça que, fossem ou não os fumantes capazes de se lembrar dessas imagens ao longo de suas vidas, elas ainda estão por toda parte on-line, em lojas e cafés e no marketing viral). Segundo, não havia nenhum cigarro, logomarca ou nome de marca à vista.

Durante um período de dois meses, nossos fumantes entraram e saíram do laboratório da dra. Calvert. Que partes de seus cérebros se acendiam enquanto eles assistiam àquelas imagens livres de logomarcas?

Foi pedido a todos os participantes que não fumassem nas duas horas anteriores ao teste para garantir que seus níveis de nicotina estivessem no mesmo patamar no início da experiência. Primeiro, os dois grupos assistiram a imagens subliminares sem uma ligação clara com marcas de cigarro — o já citado panorama típico do Oeste dos EUA, incluindo alguns caubóis icônicos, belas imagens do entardecer e desertos áridos. Em seguida, para estabelecer uma comparação, viram imagens explícitas de publicidades de cigarros como o Homem Marlboro ou Joe Camel em uma motocicleta, bem como as logomarcas Marlboro e Camel. A dra. Calvert e eu queríamos descobrir se as imagens subliminares despertariam desejos semelhantes aos gerados pelas logomarcas e os maços claramente marcados com as marcas Marlboro e Camel.

Previsivelmente, as imagens da ressonância magnética funcional revelaram uma reação pronunciada no *nucleus accumbens* — a área que sabemos que está ligada a recompensa, desejo e dependência — quando os voluntários viram maços de cigarros. Porém, o mais interessante foi que, ao serem expostos às imagens implícitas — a Ferrari vermelha, os caubóis a cavalo, o camelo no deserto — durante um intervalo de menos de cinco segundos, também foi registrada uma atividade quase imediata nas regiões do cérebro dos fumantes ligadas ao desejo, as mesmas regiões que reagiram às imagens explícitas de maços de cigarros e logomarcas. Na verdade, a única diferença consistente foi que as imagens subliminares geraram mais atividade no córtex visual primário dos voluntários — como era de se esperar, por causa da tarefa visual mais complexa de processamento daquelas imagens.

Ainda mais fascinante: ao comparar as reações cerebrais aos dois tipos diferentes de imagens, a dra. Calvert descobriu *mais* atividade nos centros de recompensa e desejo quando os participantes viam imagens subliminares do que quando viam imagens explícitas. Em outras palavras, as imagens sem logomarcas *associadas* a cigarros, como a Ferrari e o pôr do sol, desencadearam *mais* desejo nos fumantes do que as logomarcas ou as imagens dos maços de cigarro em si — um resultado que se repetiu tanto para os fumantes de Camel quanto de Marlboro.

Também descobrimos uma relação emocional direta entre as qualidades que os voluntários associavam à Formula Um e à NASCAR — masculinidade, sexo, poder, velocidade, inovação, modernidade — e às marcas de cigarro que as patrocinavam. Em outras palavras, quando estavam expostos a Ferraris e macacões de corrida vermelhos, os consumidores subconscientemente ligavam essas associações à marca. Resumindo, tudo o que a Fórmula Um e a NASCAR representam foi subliminarmente transformado, em segundos, na representação da *marca*.

Em resposta à nossa pergunta — A publicidade subliminar funciona? —, temos de dizer: "Sim, assustadoramente bem." Mas por quê?

Um motivo é que, como as imagens subliminares não mostravam nenhuma logomarca visível, os fumantes não sabiam conscientemente que estavam vendo uma mensagem publicitária e, por isso, abaixavam a guarda. Faça de conta que voltamos trinta anos no tempo (para a época em que os anúncios de cigarros eram permitidos) e que você é um fumante. Você vê um anúncio numa revista ou num *outdoor*. Sabe que aquele é um anúncio de cigarros porque a logomarca da Camel está posicionada de forma proeminente no canto inferior. Você imediatamente levanta a guarda. Sabe que fumar faz mal à saúde, isso sem falar que é caro e que você vai parar em breve. Então, conscientemente ergue um muro entre a mensagem e você, protegendo-se dos seus poderes de sedução. Mas, assim que a logomarca some, o cérebro não está mais em alerta e reage de forma subconsciente — e entusiasta — à mensagem à sua frente.

Outra explicação reside nas associações cuidadosamente construídas que a indústria do tabaco estabeleceu ao longo das últimas décadas. Em 1997, preparando-se para a proibição da publicidade de cigarros que estava para ser adotada no Reino Unido, a Silk Cut, uma marca britânica de cigarros, começou a posicionar a logomarca sobre um fundo de seda roxa em todos os anúncios veiculados. Logo os consumidores associaram aquela faixa de seda roxa à logomarca da Silk Cut e, no final, à própria marca. Então, quando a proibição dos anúncios de cigarros entrou em vigor e a logomarca não pôde mais ser usada em anúncios ou pôsteres, a empresa simplesmente criou *outdoors* nas estradas que não diziam uma palavra a respeito da Silk Cut ou de cigarros; eles simplesmente exibiam faixas de seda roxa sem logomarca alguma. Sabe o que aconteceu? Logo depois, uma pesquisa revelou que assombrosos 98% dos consumidores identificavam aqueles *outdoors* como algo relacionado à Silk Cut, embora a maioria não soubesse dizer exatamente por quê.

Em outras palavras, os esforços das fabricantes de cigarros para associar "imagens inocentes" — o Oeste dos EUA, seda roxa ou carros esportivos — ao ato de fumar em nossa mente subconsciente tiveram um ótimo retorno. Elas conseguiram contornar as regras governamentais criando estímulos suficientemente poderosos para substituir a publicidade tradicional. E, na verdade, conseguiram até recrutar a ajuda dos governos de todo o mundo; ao banirem a publicidade de cigarros, os governos estão involuntariamente *ajudando* a promover o comportamento letal que procuram eliminar.

Para mim, esses resultados foram uma revolução. Falo em um número enorme de conferências todo ano, no mundo inteiro. Em cada uma delas, fico exposto a literalmente centenas de logomarcas exibidas em paredes, folhetos, sacolas e canetas — e isso só para dizer o mínimo. Para as empresas, a logomarca é uma rainha, a razão de ser e a finalidade da publicidade. Mas, como nosso estudo acabou de mostrar com uma certeza científica que minha equipe garantiu ser de 99%, a logomarca estava, se não morta, certamente nas últimas; o que considerávamos a coisa mais poderosa na publicidade é, na verdade, a *menos* poderosa. Porque, como o nosso estudo revelou, muito mais poderosas do que qualquer logomarca de cigarros são as imagens associadas ao ato de fumar, quer elas retratem um carro esportivo vermelho ou uma aura de solidão romântica no cenário das Montanhas Rochosas.

Então, quais são os anúncios que *menos* incitam você a fumar? Anúncios de cigarros *sem* advertências de isenção de responsabilidade. Seguidos por anúncios *com* advertências de isenção de responsabilidade — o que os torna muito mais atraentes. Depois, merchandising (cinzeiros, bonés, o que você quiser). Mais poderosas ainda foram as imagens subliminares, especialmente as associadas a corridas da Fórmula Um/ Nascar. É um pouco assustador descobrir que aquilo que pensávamos ter menos a ver com cigarros é, na verdade, o que mais nos faz querer fumar, e que a logomarca — à qual os publicitários e empresas por muito tempo atribuíram poderes quase míticos — é no fundo o que menos funciona.

Você consegue imaginar um mundo sem logomarcas? Sem chamadas? Sem slogans? Dá para imaginar anúncios sem palavras que, ao serem vistas, fazem com que você saiba imediatamente que marca está sendo vendida? Muitas empresas, como a Abercrombie & Fitch e a Ralph Lauren, e, como acabamos de ver, a Philip Morris, já começaram a usar publicidade sem logomarcas, e com ótimos resultados. No futuro, muitas marcas vão fazer o mesmo. Portanto, lembre-se: as mensagens subliminares estão por aí. Não caia — nem deixe que sua carteira caia — nas garras delas.

Ao se vestir de manhã, você sempre calça o sapato esquerdo primeiro? Quando vai ao shopping, você sempre para na mesma fileira do estacionamento embora haja vagas mais próximas em outros pontos? Você tem uma caneta da sorte e sempre a leva consigo às reuniões no trabalho? Fica com medo e se recusa a abrir um guarda-chuva num lugar fechado? Se você respondeu "sim" a alguma dessas perguntas, você não está sozinho. No próximo capítulo, vamos examinar até que ponto rituais e superstições governam nossa vida "racional" — e como, na maioria das vezes, nem nos damos conta disso.

5
VOCÊ ACREDITA EM MAGIA?
Ritual, superstição e por que compramos

Vamos fingir que estamos num bar em frente à praia em Acapulco, aproveitando a brisa amena do mar. Duas cervejas Corona bem geladas estão a caminho, com duas fatias de limão. Apertamos o limão e, depois, o enfiamos no gargalo, inclinamos as garrafas até que as bolhas comecem a fazer aquele barulhinho gostoso e tomamos um gole. Saúde!

Mas antes deixe-me perturbá-lo com uma pergunta de múltipla escolha. Você tem ideia de como surgiu o ritual da cerveja com limão da Corona que acabamos de executar? A) Beber cerveja com uma fatia de limão é a maneira como os latinos bebem suas Coronas, pois assim o sabor da cerveja é realçado. B) O ritual é derivado de um antigo hábito mesoamericano que visava combater os germes, sendo a acidez do limão capaz de destruir qualquer bactéria que possa ter se formado na garrafa durante a embalagem e o transporte. C) O ritual da Corona com limão supostamente remonta a 1981, quando, em uma aposta aleatória com um amigo, o barman de um restaurante qualquer enfiou uma fatia de limão no gargalo de uma Corona só para ver se convencia outros clientes a fazerem o mesmo.

Se você disse C, acertou. E, na verdade, dizem que esse ritual simples, e que não tem nem trinta anos, inventado pela fantasia de um barman durante uma noite de pouco movimento, ajudou a Corona a superar a Heineken no mercado dos EUA.

Agora, mudando de cenário, vamos para um bar irlandês pouco iluminado, chamado Donnelly's ou McClanahan's. Há trevos por toda parte, um balcão cheio de homens idosos e um barman que já ouviu todas aquelas histórias duas vezes. Primeiro, o barman enche três quartos do copo. Depois, esperamos (e esperamos) até que a espuma do colarinho baixe. Por fim, depois que o tempo certo passou, o barman completa o copo. Tudo isso demora alguns minutos, mas nenhum de nós se importa em esperar — na verdade, o ritual de versar devagar a cerveja faz parte do prazer de beber uma Guinness. Mas aposto que você não sabe de uma coisa: esse ritual não aconteceu por acaso. Na cultura apressada do início dos anos 1990, a Guinness estava enfrentando grandes perdas nos bares das Ilhas Britânicas. Por quê? Os clientes não queriam esperar dez minutos para que o colarinho de sua cerveja diminuísse. Então, a empresa decidiu transformar esse incômodo em uma virtude. Lançou campanhas publicitárias como: "Good things come to those who wait" ("Coisas boas vêm para quem espera") e "It takes 119.53 seconds to pour the perfect pint" ("São necessários 119,53 segundos para servir o copo perfeito de cerveja"), e até veiculou comerciais que mostravam a maneira "certa" de servir uma Guinness. Logo nasceu um ritual. E graças à inteligente publicidade da empresa, esse ardiloso método para servir a cerveja se tornou parte da experiência de beber. "Não queremos qualquer um colocando líquido em um copo", disse uma vez Fergal Murray, mestre cervejeiro da Guinness.[1]

Em todos os anos que ajudei empresas a desenvolver e fortalecer suas marcas, vi repetidamente uma coisa: rituais que nos ajudam a formar ligações emocionais com marcas e produtos. Eles tornam as coisas que compramos memoráveis. Mas antes que eu explique por quê, vale a pena examinar até que ponto rituais e superstições governam a nossa vida.

RITUAIS E SUPERSTIÇÕES SÃO DEFINIDOS COMO ações não totalmente racionais e a crença de que é possível, de certa forma, manipular o futuro ao adotar certos comportamentos, embora não haja nenhuma relação causal evidente entre o comportamento e o resultado esperado.

Mas, se tais crenças são tão irracionais assim, por que a maioria de nós age de maneira supersticiosa todos os dias sem nem mesmo perceber?

Como todos sabemos, o mundo é estressante. Desastres naturais. Guerras. Fome. Tortura. Aquecimento global. Essas são apenas algumas das questões que nos bombardeiam toda vez que ligamos a tevê, abrimos o jornal ou entramos na internet. Sejamos sinceros: o mundo está mudando numa velocidade espantosa. A tecnologia está avançando com uma velocidade que nunca poderíamos imaginar, mudanças sísmicas no poder econômico global estão acontecendo da noite para o dia — ora, estamos até *andando* mais rápido do que antes (uma análise realizada em 2007 dos pedestres em 34 cidades em todo o mundo mostrou que o pedestre médio caminha a quase 4,8km/h — aproximadamente 10% mais rápido do que há uma década). Na minha Dinamarca natal, homens e mulheres até *falam* 20% mais rápido do que há dez anos.[2]

Mudanças tão rápidas assim trouxeram mais incerteza. Quanto mais imprevisível o mundo se torna, mais buscamos uma sensação de controle sobre nossa vida. E quanto mais ansiedade e incerteza sentimos, mais adotamos comportamentos e rituais supersticiosos para nos guiar. "A sensação de ter poderes especiais salva as pessoas em situações ameaçadoras e ajuda a aplacar os medos quotidianos e a evitar a perturbação mental", escreveu Benedict Carey, repórter do *The New York Times*.[3]

Superstição e ritual foram cientificamente relacionados à necessidade humana de controle em um mundo turbulento. O dr. Bruce Hood, professor de psicologia experimental na Universidade de Bristol, na Inglaterra, escreve: "Se for removida a aparência de controle, tanto os humanos quanto os animais se tornam estressados. Durante a Guerra do Golfo em 1991, nas áreas que foram atacadas por mísseis Scud, houve um aumento nas crenças supersticiosas."

De fato, quando Giora Keinan, professor da Universidade de Tel Aviv, enviou questionários a 174 israelenses após os ataques iraquianos com mísseis Scud em 1991, descobriu que aqueles soldados que haviam relatado o maior nível de estresse também eram os que tinham mais propensão a apoiar crenças mágicas. "Tenho a sensação de que as chances de ser atingido durante um ataque de mísseis são maiores se a pessoa cuja casa foi atacada estiver presente na sala blindada", disse um soldado, ao passo que outro acreditava ter menos probabilidade de ser atingido se tivesse "entrado na sala blindada com o pé direito primeiro".[4] Racionalmente, é claro, nada disso faz o menor sentido. Mas, como Hood explica, até mesmo a pessoa mais racional e analítica pode ser vítima desse tipo de raciocínio.

Hood se propôs a provar seu argumento durante uma apresentação no Festival de Ciências da Associação Britânica, em Norwich. Diante de uma sala cheia de cientistas, Hood levantou um suéter azul e ofereceu dez libras a qualquer pessoa que concordasse em experimentá-lo. Mãos se levantaram por toda a sala. Hood então disse à plateia que o suéter pertencera a Fred West, um assassino em série que supostamente havia matado brutalmente 12 moças, bem como sua própria esposa. Apenas algumas mãos continuaram levantadas.[5] E, quando alguns poucos voluntários remanescentes *realmente* experimentaram o suéter, Hood observou que os outros membros da plateia se afastavam deles. O professor então confessou que aquela peça de roupa na verdade *não* havia pertencido a Fred West, mas foi irrelevante. A mera *sugestão* de que o suéter fora usado pelo assassino bastou para fazer com que os cientistas o evitassem. Era "como se o mal, uma postura moral definida pela cultura, tivesse se tornado fisicamente manifesto dentro da roupa", disse Hood. Racionalmente ou não, atribuímos involuntariamente um poder semelhante a objetos como moedas e alianças "da sorte" e assim por diante.

Mas será que superstições e rituais são sempre ruins para nós? Curiosamente, ficou demonstrado que alguns rituais na verdade são benéficos para o nosso bem-estar mental e físico. De acordo com um estudo publicado no *Journal of Family Psychology*, "em famílias com rotinas previsíveis, as crianças tinham menos doenças respiratórias, eram mais saudáveis em geral e seu desempenho na escola era melhor". O artigo dizia também que os rituais surtem mais efeito na saúde emocional e que, em famílias com rituais fortes, os adolescentes "demonstravam uma percepção de si mesmos mais forte, os casais diziam ter casamentos mais felizes e as crianças tinham mais interação com os avós".[6]

Um estudo realizado em 2007 pela gigante da publicidade BBDO Worldwide mostrou que, em 26 países de todo o mundo, a maioria de nós executa uma série comum e previsível de rituais a partir do momento em que se levanta de manhã até a hora em que puxa as cobertas à noite. O primeiro grupo de rituais é rotulado pela empresa como "preparação para a batalha" e acontece quando nos levantamos de nossos casulos de sono e nos preparamos para enfrentar o dia. A preparação para a batalha pode incluir qualquer coisa: escovar os dentes, tomar um banho ou uma ducha, verificar os e-mails, fazer a barba, dar uma olhada rápida nas manchetes do jornal matutino — qualquer coisa que nos ajude a ter uma sensação de controle sobre o que quer que o dia nos reserve.

Um segundo ritual é conhecido como "banquete", e envolve fazer refeições com outras pessoas. Pode ser um sushi no jantar com um grupo de amigos em um restaurante conhecido ou um café da manhã em família. Seja qual for o nosso ritual, o ato social de comer em companhia é importante; ele nos "reconcilia com a nossa tribo", transformando-nos de seres solitários em membros de um grupo.

"Ornamentação" é o terceiro da lista. É autoexplicativo — uma série de rituais agradáveis e gratificantes que transformam as nossas figuras prosaicas em seres com a melhor aparência e a maior autoconfiança possível. Nossos rituais de ornamentação envolvem todos os tipos de arrumação e embelezamento, assim como pedidos de apreciação e aprovação aos amigos — *Como estou? Esta roupa está boa?* — e conversas sobre o evento iminente.

O último ritual diário se chama "proteger-se do futuro". Dele fazem parte todos os atos que executamos antes de ir para a cama à noite — desligar os computadores e as luzes, diminuir o aquecimento, armar o alarme contra ladrões, dar uma olhada nas crianças e nos animais de estimação, trancar as portas e janelas e deixar as bolsas e pastas prontas perto da porta para não as esquecermos pela manhã. Esse ritual no final do dia nos ajuda a sentir segurança antes da chegada do novo dia e do início de mais uma nova rodada de rituais.[7]

Esses rituais têm tudo a ver com a aquisição de controle — ou pelo menos a ilusão de controle —, e nós os desempenhamos de uma maneira ou de outra, todos os dias. Mas muitos de nós também desempenham outros rituais, menos produtivos, que se baseiam em superstições ou crenças irracionais — e a maioria nem se dá conta disso. Só por diversão, vamos percorrer uma semana imaginária.

Você acorda cedo numa segunda-feira de céu encoberto e chuva forte (você, como sempre, pôs o despertador dez minutos adiantado). Ao chegar ao trabalho, você sai do seu trajeto para evitar passar debaixo de uma escada no saguão. Na hora do almoço, você vai até uma fonte em um parque ali perto. Procura uma moeda em seus bolsos ou na bolsa, faz um breve pedido — "Por favor, faça com que eu seja promovido" — e, depois, joga a moeda na água. Volta ao escritório se sentindo um pouco bobo, porém mais à vontade.

O sol volta a brilhar na terça-feira, e você decide ir andando para o trabalho. Flanando por uma calçada lotada, você resgata a lembrança distante de uma rima da sua infância: "Pise numa ranhura e sua vida será dura." Naquela tarde, o pedido que você fez na fonte se realiza: sai a promoção que você queria. Você sabe que foi promovido porque trabalhou com afinco, mas não consegue deixar de dar algum crédito à moeda jogada na fonte.

Na quarta-feira, você cumprimenta uma amiga em um restaurante chinês dando um beijinho em cada bochecha — um ritual europeu que você adotou depois de passar férias na França. Depois da refeição, você quebra o biscoito da sorte para ler a previsão do seu futuro. Sua companheira de jantar espirra, e você murmura "Saúde". Ao deixar a mesa, você coloca o bilhetinho do seu biscoito da sorte na carteira. Vai usar aqueles números da próxima vez que comprar um bilhete da loteria. (Em 30 de março de 2007, 110 pessoas jogaram os mesmos números encontrados no verso do bilhetinho de um biscoito da sorte — 22, 28, 32, 33, 39 e 40 — e ganharam o segundo prêmio, levando para casa algo entre cem e quinhentos mil dólares, o que custou à associação da loteria quase US$19 milhões.)[8]

A sexta-feira, por acaso, cai no dia 13. Percebendo a data, você sente um estranho surto de ansiedade. Dá uma olhada rápida no horóscopo — nenhuma previsão ruim. Com o Natal se aproximando, você compra uma árvore, a decora com luzinhas e ornamentos brilhantes — deixando a estrela por último — e, finalmente, coloca visgo nas portas, apesar de não acreditar realmente que alguém vá lhe dar um beijo cinematográfico debaixo de um ramo.

No sábado, você tem um casamento. Está chovendo — má sorte para os noivos (ou será que é boa sorte? É uma coisa ou outra). Na recepção, você e as outras pessoas jogam arroz nos recém-casados e fazem um brinde com champanhe à saúde e ao casamento deles. Você realmente acredita que tomar um copo de Kava vai garantir uma vida de casado feliz e saudável para eles? Claro que não. Mas a questão é que a maioria dos rituais e comportamentos supersticiosos está tão arraigada em nossa cultura e em nossa vida quotidiana que, muitas vezes, nem nos perguntamos por que estamos fazendo aquilo.

E um comportamento desse tipo também não está limitado exclusivamente à cultura americana. Veja por exemplo o medo do número 13. No início de 2007, em resposta a inúmeras reclamações dos clientes, a Brussels Airlines relutantemente mudou os 13 círculos da sua logomarca para 14.⁹ Se você quiser se sentar na fila número 13 num voo da Air France, KLM, Iberia (ou, se for o caso, da Continental), não terá muita sorte, pois essa fila não existe. Ano passado, em uma sexta-feira 13, o número de acidentes de carro aumentou 51% em Londres e 32% na Alemanha — provavelmente devido ao aumento da ansiedade dos motoristas por causa da data azarada. Outros números também estão associados a azar. Depois que dois voos 191 sofreram acidentes, a Delta e a American Airlines excluíram permanentemente esse número de voo.[10]

Nas culturas asiáticas, o número mais azarado de todos é o quatro, pois a palavra que designa esse número em mandarim é *si*, com um som perigosamente próximo de *shi*, que significa "morte". Por isso, nos hotéis na China, e até mesmo em hotéis de propriedade de asiáticos pelo mundo, não existem os andares quatro ou 44. O pesquisador californiano David Phillips descobriu que até os ataques cardíacos entre cidadãos de origem chinesa residentes nos EUA aumentavam quase 13% no quarto dia de cada mês. Na Califórnia, onde a cultura chinesa tem grande influência, a proporção era ainda maior, atingindo um pico de 27%. Assim como os acidentes de carro na sexta-feira 13 na Alemanha e em Londres, o aumento provavelmente foi causado, na opinião de Phillips, somente pelo estresse inspirado no medo cultural do número quatro.[11]

Por outro lado, oito é um número de sorte nas culturas asiáticas, e tem um som semelhante ao da palavra chinesa que significa "riqueza", "fortuna" e "prosperidade". Isso explica por que os Jogos Olímpicos de Pequim foram marcados para começar oficialmente no dia 8/08/08 exatamente às 8:08:08 da noite. E ouça só esta: durante um leilão de placas de carros na cidade de Guangzhou, um chinês ofereceu 54 mil iuanes — o equivalente a US$6.750, ou aproximadamente sete vezes a renda *per capita* da China — pela placa APY*888*. Mais tarde, esse recorde foi quebrado por um homem que ofereceu oitenta mil iuanes, ou US$10.568, por uma placa que tinha apenas dois números oito: AC*6688*. As operadoras de telefonia celular na China cobram mais por números "sortudos", e dizem que uma empresa aérea regional chinesa pagou cerca de 2,4 milhões de iuanes — mais de trezentos mil dólares — para que a sua central telefônica tivesse o número 888-8888.[12]

O número oito não é o único talismã da sorte no Japão. O Kit Kat, o clássico chocolate em barras, também é considerado um objeto que dá sorte. Quando a Nestlé lançou o doce no Extremo Oriente, a população local não pôde deixar de notar como as palavras "Kit Kat" tinham um som parecido com "Kitto-Katsu", que pode ser traduzido aproximativamente como "ganhar na certa". Com o tempo, os estudantes começaram a acreditar que comer um Kit Kat antes das provas resultaria em notas mais altas, um dos grandes motivos do sucesso da marca Kit Kat no sobrecarregado mercado de varejo japonês. A Nestlé foi além e lançou o Kit Kat em um saco azul — para fazer com que as pessoas pensassem no céu, na acepção de paraíso — e colocou as palavras "Pedidos a Deus" impressas na embalagem. Parece que o Kit Kat está fazendo um grande sucesso na Ásia não apenas porque é considerado um alimento que dá sorte, mas porque, no site da Nestlé, os visitantes podem inserir um pedido que, segundo eles, será enviado para uma força superior.

Superstições e rituais, é claro, também constituem uma grande parte do mundo dos esportes. Patrick Roy, goleiro da National Hockey League (NHL), criou a regra de não passar em cima das linhas azuis do rinque e tinha o ritual de bater um papo sincero com as traves do gol. Michael Jordan nunca jogou uma partida sem seu velho short Carolina Tar Heels por baixo do uniforme amarelo do Chicago Bulls, e o antigo astro do beisebol Wade Boggs se recusava a comer, nos dias de jogo, outra coisa que não fosse frango. Ele também subia na plataforma para treinar rebatidas todo dia exatamente às 17h17 e traçava o sinal hebraico para *chai*, que significa "vida", na areia antes de cada turno como rebatedor (e ele não é judeu).

Os atletas também acreditam nos poderes sobrenaturais das sequências "quentes" — aquelas vezes em que aparentemente não erram arremessos, lançamentos, gols ou cestas de jeito nenhum. Quando um jogador faz uma série de lances bons em sequência em um jogo, costuma-se acreditar que ele está com "a mão quente". O time então faz de tudo para passar a bola para ele, pois todos acreditam numa maré de sorte contínua. Em 1985, dois economistas que ganhariam posteriormente o prêmio Nobel, Daniel Kahnemann e Amos Tversky, abalaram os fãs de basquete nos Estados Unidos ao jogar por terra tal mito, difundido tanto entre jogadores quanto fãs.

Para testar se essas "sequências quentes" realmente existiam, Kahnemann e Tversky examinaram as estatísticas de uma série de times de

1980 a 1982. Ao analisarem o quociente de arremessos livres do Boston Celtics, descobriram que, se um jogador acertava o primeiro arremesso, também acertava o segundo em 75% das vezes. Mas, quando o jogador errava o primeiro arremesso, a probabilidade de acertar o segundo permanecia exatamente igual. E, ao verificarem os registros individuais das sequências de acertos e de arremessos livres dos jogadores em jogos em casa, Kahnemann e Tversky concluíram que nenhum dos jogadores tinha mais probabilidade de acertar um segundo arremesso após um primeiro arremesso certeiro. Na verdade, a "mão quente" é sem dúvida mais uma questão de fé — e superstição — do que um fato.

E quanto ao ritual da tocha olímpica, que os corredores transportam pelo mundo na maior corrida de revezamento do planeta (embora, na verdade, a tocha olímpica seja um ritual que não teve início há milhares de anos na Grécia Antiga, como muitas pessoas acreditam, mas nas Olimpíadas de 1936 em Berlim)? Se você pensar a respeito, os Jogos Olímpicos não seriam quase nada sem os rituais. Imagine: nenhuma cerimônia de abertura nem de encerramento, nenhuma premiação dos vencedores com medalhas após cada prova, nenhum comovente hino nacional. O que sobraria? Na verdade, boa parte do que nos agrada no mundo dos esportes e do entretenimento hoje não seria a mesma coisa sem os rituais.

Mas o que os rituais têm a ver com o que pensamos quando compramos? Muita coisa. Para começar, produtos e marcas associados a rituais ou superstições são muito mais "grudentos" do que os outros. Em um mundo inconstante e veloz, estamos todos buscando estabilidade e familiaridade, e os rituais de produtos nos proporcionam a ilusão de conforto e participação. Não dá uma sensação de segurança fazer parte, por exemplo, da comunidade Apple ou Netflix — saber que existem milhões de outras pessoas que, como você, escutam seu iPod todas as manhãs ou que criam uma nova lista de filmes toda sexta-feira à noite?

Em um mundo cada vez mais padronizado, esterilizado e homogêneo (quantos shoppings que você visitou têm exatamente as mesmas lojas — Staples, Gap, Best Buy, Chili's e Banana Republic? Com certeza, shoppings demais), os rituais nos ajudam a diferenciar uma marca de outra. E, depois de encontrar um ritual ou uma marca de que gostamos, por acaso não sentimos muito mais conforto ao preparar uma mistura específica de café toda manhã, ao usar um xampu que nos distingue com uma fragrância familiar ou ao comprar todo ano o mesmo modelo de tênis de corrida? Eu até me arriscaria a dizer que há algo tão atraente nessa sensação de estabilidade e familiaridade que muitos consumidores têm um sentimento de lealdade quase religioso em relação a suas marcas e produtos favoritos.

De fato, na maioria das vezes a compra de um produto é mais um comportamento ritualizado do que uma decisão consciente. Vejamos os cremes para pele. Essas verdadeiras poções antirrugas que eliminam linhas de expressão e pés de galinha e atraem todas as mulheres (e cada vez mais homens também) realmente funcionam? Muitas consumidoras que observei ao longo dos anos admitem que os cremes antirrugas de nada adiantam, mas, a cada três meses, elas ainda vão até a farmácia local para comprar o mais recente bálsamo milagroso, aquele com a fórmula secreta mais nova, mais sedutora e aparentemente mais complexa. Depois de algumas semanas, olham desapontadas para o espelho, concluem que aquilo não funciona e saem para procurar por outra fórmula mágica. Por quê? Simplesmente porque é um ritual que elas — e suas mães e avós antes delas — sempre seguiram.

Afinal, somos, em geral, criaturas de hábitos. Pense na maneira como usamos um telefone celular. Depois de nos acostumarmos às teclas de navegação da Nokia, não relutamos em mudar para outra marca como, por exemplo, a Sony Ericsson? Quem quer aprender um sistema totalmente novo? Os consumidores que têm um iPod sem dúvida estão acostumados à sua navegação ritualizada; a maioria dos usuários do iPod poderia selecionar "Música" e depois "Artista", seguido de sua faixa favorita, mesmo dormindo. Por que arrumar confusão comprando um mp3 *player* fabricado pela Phillips, ou um Microsoft Zune? Conscientemente ou não, você não quer mexer com a região do seu cérebro constituída pela memória "implícita", que engloba tudo o que você sabe fazer sem pensar a respeito, desde andar de bicicleta até estacionar um carro de ré, amarrar os cadarços do sapato ou comprar um livro, sem esforço, na Amazon.

Rituais alimentares também podem ser encontrados por toda parte: desde a maneira como quebramos um ossinho da sorte até o modo como comemos nossos biscoitos Oreo. Quando o assunto são os biscoitos Oreo, existem dois rituais distintos. Algumas pessoas gostam de abrir o biscoito, lamber o recheio branco que fica no meio e depois comer as duas porções de massa. Outros gostam de manter o biscoito intacto e molhar tudo num copo de leite frio. Sabendo que muitas pessoas gostam do ritual de comer Oreo com leite, a Nabisco, fabricante dos biscoitos, recentemente fez uma parceria com os produtores da famosa campanha "Got Milk?". "O Oreo não é apenas um biscoito, é um ritual", confirma Mike Faherty, diretor sênior dos produtos Oreo. "Molhar os biscoitos Oreo no leite faz parte da cultura americana."[13]

Uma marca irlandesa de cidra conhecida como Magners recentemente viu sua popularidade explodir no Reino Unido. Por quê? A empresa não mudou sua receita. Não contratou uma celebridade para ser garoto-propaganda. Não lançou nenhuma nova extensão excêntrica da sua linha de produtos, como, por exemplo, balas Magners. Então, qual é o segredo do seu sucesso repentino? Anos atrás, a maioria dos bares no condado irlandês de Tipperary não tinha geladeiras, então os consumidores assumiam a tarefa de resfriar a Magners servindo-a com algumas pedras de gelo. A partir de então, os *barmen* começaram a servir a Magners em copos grandes, cheios de gelo. Acontece que servir a cidra gelada reduz o gosto doce e melhora o paladar. Isso, além de melhorar o sabor da cidra, também chegou a redefinir o que vinha à mente dos consumidores quando eles pensavam na marca. Com o tempo, o ritual se tornou tão ligado à cidra que as pessoas começaram a se referir à marca como "Magners on Ice" ("Magners com Gelo").[14]

Outras marcas de produtos comestíveis criaram rituais a partir de sua mera disponibilidade sazonal. É o caso do Mallomar, um biscoito de *marshmallow* coberto por uma camada de chocolate escuro que tende a derreter no calor. Para evitar o derretimento do Mallomar, a Nabisco interrompe sua produção entre abril e setembro de cada ano. Mas, assim que o tempo começa a esfriar, os viciados em Mallomar aguardam o reaparecimento do produto nas prateleiras dos supermercados da mesma maneira que alguns amantes da natureza esperam as andorinhas de Capistrano. "Notícias sobre as maravilhas dos refrigeradores e do controle de temperatura aparentemente não chegaram à sede da Nabisco em Nova Jersey", conclui severamente um artigo, sugerindo que a empresa criou artificialmente esse ritual, limitando a disponibilidade dos biscoitos.[15] E, como no caso dos biscoitos Oreo, há vários métodos tradicionais para comer um Mallomar — comer a parte de marshmallow primeiro e deixar o biscoito por último ou vice-versa, ou comer tudo de uma vez.

Até mesmo alguns restaurantes têm rituais dos quais você provavelmente nem se dá conta. Nas franquias da lanchonete Subway, os sanduíches são montados na mesma ordem todas as vezes para que os clientes saibam exatamente como instruir a pessoa atrás do balcão sobre como fazer seu sanduíche. A Cold Stone Creamery, uma popular cadeia de sorveterias, tem um ritual interessante — os atendentes cantam uma canção para os clientes e dançam com seu sorvete. E por falar em rituais alimentares, você come seu Big Mac com duas mãos em vez de uma? Come suas batatas fritas antes do hambúrguer, depois ou vai alternando? (E não foi o cheiro das batatas fritas que fez com que você as pedisse, na verdade?) E, como eu, você também nem pensa nesses rituais quando os está executando?

Às vezes, porém, as marcas podem ter problemas para ir além dos rituais. Veja por exemplo o ritual de beber Bacardi com Coca-Cola e uma fatia de limão (também conhecido como Cuba Libre), uma combinação que surgiu em 1898 durante a Guerra Hispano-Americana, quando os soldados americanos estavam estacionados em Cuba. O país era, na época, a sede da Bacardi e, quando as forças americanas levaram a Coca-Cola para lá, criou-se a união duradoura dos dois sabores. Mas hoje a Bacardi está numa espécie de cilada. A empresa gostaria que seus clientes misturassem o rum com outras coisas, mas o ritual do rum com Coca-Cola tem se mostrado difícil de eliminar.

MAS SUPERSTIÇÕES E RITUAIS PODEM ASSUMIR formas que vão além da maneira como comemos um Oreo ou servimos um coquetel. Existem muitas outras maneiras de nos comportarmos irracionalmente quando o assunto são produtos. Quando eu tinha uns cinco anos de idade, contraí uma doença muito estranha chamada púrpura de Schönlein-Henochs, uma reação alérgica que geralmente acontece após uma infecção do trato respiratório, cujos sintomas incluem hemorragia interna e inflamação dos rins. Fiquei vermelho como um enfeite de Natal.

Durante mais de um mês, fiquei confinado à cama de um hospital num quarto à prova de som. Eu sentia dores ao me mexer. Não suportava o menor barulho porque meus ouvidos doíam. Fiquei muito doente durante dois anos. Mesmo depois de ter superado a doença, meus médicos não me deixavam praticar esportes de maior contato físico. Para que eu tivesse algo para fazer enquanto todas as crianças da minha idade estavam lá fora, jogando futebol, meus pais me deram uma caixa de Lego.

Acabaram se dando mal. Foi o início de um caso de amor que durou uma década.

Sou naturalmente persistente e obsessivo e, a partir daquele dia, comecei a colecionar caixas e mais caixas de Lego. Aquilo se tornou a minha vida. Eu guardava minha coleção em uma gaveta embaixo do colchão da cama mais baixa do beliche, embora geralmente houvesse centenas de peças de Lego espalhadas por todo o chão do meu quarto. Um ano mais tarde, comecei minha primeira grande construção — uma réplica de uma balsa escandinava — em uma competição local de Lego. Depois que os jurados da Lego comprovaram que eu havia construído aquilo sem a ajuda dos meus pais (sadicamente, o júri destruiu o barco e me fez reconstruí-lo), ganhei o primeiro prêmio.

Que era — adivinhe — outra caixa grande de Lego. Animado com o meu sucesso, tive a ideia de construir a minha própria versão da Legoland. Colonizando o quintal da casa dos meus pais, construí canais, pontes, um barco, um castelo e até mesmo um complicado sistema de sensores. Viajei até a Suécia para conseguir um tipo especial de rocha granulosa e uma marca especial de espuma para fazer minhas montanhas. Comprei um motor feito sob medida para o meu sistema de canais — havia até um minijardim feito de bonsais. (Eu tinha 11 anos na época — o que posso dizer?)

Finalmente, abri a minha Legoland no quintal dos meus pais, com caminhos em volta para os eventuais visitantes. Quando ninguém apareceu, fiquei desolado. Então, coloquei um anúncio no jornal local e 131 pessoas apareceram — inclusive dois advogados da Lego, que me informaram muito educadamente que, se eu insistisse em usar o nome Legoland, seria culpado de violação de marca registrada. No final, depois de muitas idas e vindas, acabei rebatizando a minha versão de Mini-Land. (Alguns anos mais tarde, me vi trabalhando para a Lego, mas essa é outra história.)

A questão é que sei alguma coisa sobre colecionadores, e muita coisa sobre obsessão por uma marca. E, sob vários aspectos, a obsessão por uma marca tem muito em comum com rituais e comportamentos supersticiosos — ambos envolvem ações habituais, reincidentes, com pouca ou nenhuma base lógica, e ambos nascem da necessidade de ter uma sensação de controle em um mundo opressivo e complexo.

Por sermos uma sociedade criada por caçadores e coletores, todos nós somos programados para acumular, embora, hoje em dia, a mania de colecionar coisas tenha atingido níveis extremos. Um artigo do *The New York Times* em 1981, "Living with Collections" ("Vivendo com Coleções"), estimava que aproximadamente 30% dos americanos tendem a acumular coisas — e esse número está crescendo, graças, em grande parte, aos mercados secundários que a internet criou. Em 1995, o mesmo ano em que a eBay abriu seu site, as vendas do setor de artigos colecionáveis alcançaram US$8,2 bilhões. Atualmente, existem 49 milhões de usuários — muitos deles colecionadores — no site da eBay.

Antigamente, colecionar era algo que apenas os ricos faziam, mas, hoje em dia, pessoas de todos os níveis de renda acumulam de tudo, desde bonecas Barbie, brinquedos do McLanche Feliz, garrafas de Coca-Cola e latas de sopas Campbell até tênis e pôsteres do Fillmore West. Para dar um exemplo extremo, atualmente mais de 22 mil produtos diferentes da Hello Kitty estão em circulação na Ásia e no resto do mundo, incluindo macarrão, preservativos, anéis para *piercing* no umbigo e próteses dentárias Hello Kitty que deixam uma marca da Hello Kitty em tudo o que você mastiga (isso sim é *branding*). Na Eva Air, a segunda maior companhia aérea de Taiwan, de posse de um cartão de embarque da Hello Kitty, você vai até o seu assento para esperar a chegada de aeromoças que usam aventais e fitas de cabelo Hello Kitty, servindo lanches com formato de Hello Kitty — e até vendendo produtos Hello Kitty isentos de impostos.

Casos menos extremos de obsessão por marcas geralmente começam na adolescência, ou até mesmo antes. Estudos mostraram que as crianças com dificuldade para se entrosar na escola se tornam muito mais propensas a se preocupar com coleções. O ato de colecionar algo — moedas, selos, folhas, figurinhas do Pokémon ou Beanie Barbies — dá às crianças uma sensação de domínio, completude e controle e, ao mesmo tempo, aumenta a autoestima, elevando seu status e talvez até compensando os primeiros anos de dificuldade de entrosamento.

A questão é que existe algo semelhante a um ritual no ato de colecionar que faz com que nos sintamos seguros e protegidos. Quando estamos estressados, ou quando a vida parece aleatória e descontrolada, muitas vezes buscamos conforto em produtos ou objetos conhecidos. Queremos ter padrões sólidos e consistentes em nossa vida, e em nossas marcas. Então, embora nosso cérebro racional nos diga que é completamente irracional e ilógico ter 547 ímãs de geladeira da Hello Kitty, nós os compramos assim mesmo, porque o ritual de colecioná-los faz com que tenhamos, de alguma maneira, uma sensação de maior controle sobre nossa vida.[16]

UMA COISA É CERTA: RITUAL E SUPERSTIÇÃO podem influenciar muito a maneira como compramos e o que decidimos comprar. E, depois de anos estudando rituais de produtos e seus efeitos no *branding*, tive um estalo: será que a religião — tão imersa em rituais conhecidos e reconfortantes — também pode desempenhar um papel na motivação de nossas compras?

Na minha próxima experiência, me proponho a descobrir que ligação existe, se é que existe alguma, entre religião e o comportamento de consumo. Haveria semelhanças entre o modo como nosso cérebro reage a símbolos religiosos e espirituais e a maneira como reage a produtos e marcas? Será que certas marcas podem provocar o mesmo tipo de emoção ou inspirar a mesma devoção e lealdade provocada pela religião? Eu não estava tentando minimizar a importância da religião na vida das pessoas, mas tinha quase certeza de que havia algo nessa história.

E estava com a razão.

6
FAÇAMOS UMA RÁPIDA PRECE
Fé, religião e marcas

Ao longo de vários dias, as freiras entraram, uma a uma, no laboratório, arrumaram seus hábitos pretos e brancos e se acomodaram da melhor maneira possível na mesa de exames do IRMf. Com idades que variavam entre 23 a 64 anos, as 15 mulheres que participaram desse estudo em 2006 eram da ordem das carmelitas enclausuradas, uma austera seita monástica do catolicismo romano, cujas raízes remontam à Idade Média.

Supervisionadas pelos doutores Mario Beauregard e Vincent Paquette, dois neurocientistas da Universidade de Montreal, Canadá, o "estudo das freiras" não foi realizado para promover nenhuma plataforma religiosa ou provar a existência ou não de Deus. O objetivo era simplesmente usar as neuroimagens para descobrir mais a respeito da forma como o cérebro vivencia crenças ou sentimentos religiosos. Beauregard e Paquette estavam tentando descobrir a resposta para uma pergunta complexa: que partes do cérebro se ativam quando estamos engajados em experiências pessoais, espirituais, tais como preces, ou quando temos a sensação de que estamos perto de Deus?

Os cientistas começaram pedindo às 15 freiras que relembrassem a experiência religiosa mais profunda que tiveram como membros da ordem carmelita.[1] Como era de se esperar, as imagens revelaram que, ao recordar aquelas experiências, as freiras exibiam uma grande atividade neural no núcleo caudado, uma pequena região no centro do cérebro que produz sentimentos de alegria, serenidade, autoconsciência e até amor. Outra área ativada foi a ínsula, que, segundo a teorização dos cientistas, está relacionada a sentimentos associados a conexões com o divino.

Depois, os cientistas pediram às freiras que relembrassem uma experiência emocional profunda que tiveram com outro ser humano. Curiosamente, a atividade registrada nessas imagens era bem diferente.

Resumindo, Beauregard e Paquette concluíram que, embora não haja um "Ponto Divino" específico no cérebro humano — nenhuma região que se ativa particularmente quando estamos tendo pensamentos religiosos ou espirituais —, existem, pelo menos entre as pessoas com fortes crenças religiosas, padrões diferentes de atividade durante pensamentos sobre religião e pensamentos sobre seres humanos. Como a parte seguinte do nosso estudo mostraria, quando o assunto é religião e fé, várias regiões integradas e interconexas do cérebro trabalham de maneira simultânea e associada. Ou, como dizia uma citação com a qual me deparei um dia: "Tentar traçar limites estritos em torno da consciência é tentar colocar Post-it no oceano."

ESSE ESTUDO FOI PARTE DA INSPIRAÇÃO para a próxima experiência com imagens cerebrais. Mas minha teoria sobre marcas e espiritualidade não surgiu do nada. Pense na história a seguir.

Numa tarde de inverno em 2007, uma pequena e agitada multidão se reuniu no silo de cereais em Port Newark, Nova Jersey, à espera da chegada de um simples contêiner. A maioria daquelas pessoas estava vestida formalmente, com luvas brancas, longos casacos negros e chapéus de aba larga. Um rabino estava em pé no centro do grupo, e alguns fotógrafos registravam a cena. Por fim, a porta do porão do navio se abriu e, da escuridão, emergiu um homem meticulosamente trajado, carregando uma bandeja prateada contendo pacotes de... terra.

Mas aquela não era uma terra qualquer. Era terra santa, trazida até a nossa costa por cortesia da Holy Land Earth, uma empresa com sede no Brooklyn, a primeira empresa no mundo a exportar terra diretamente de Israel para os Estados Unidos. Você pode estar se perguntando por que as pessoas querem terra de Israel. Bem, na verdade, um punhado do solo da Terra Santa pode acrescentar um toque perfeito de sacralidade aos enterros religiosos. Também pode ser usado para abençoar plantas e árvores, casas e edifícios.

Dentre as pessoas ali reunidas estava o fundador e presidente da Holy Land Earth, Steven Friedman, que discursou para o grupo nas docas. Muitos religiosos consideram o solo de Israel sagrado, explicou ele; sua empresa estava, então, importando aquele solo divino para qualquer pessoa que quisesse uma pequena porção da Terra Santa em sua vida. Na verdade, a terra tinha o selo oficial de aprovação do rabino Velvel Brevda, o diretor do Conselho de Geula em Jerusalém. "Este é o ponto alto de muitos anos de trabalho árduo", proclamou Friedman. "Foi necessário muito esforço não apenas para satisfazer as normas de importação, mas também para garantir que nosso produto tivesse a aprovação de líderes religiosos judeus reconhecidos." Mas valeu a pena, concluiu Friedman.

Steven Friedman não foi a primeira pessoa a mexer com terra sagrada. No final da década de 1990, um imigrante irlandês chamado Alan Jenkins levou nove anos para garantir a aprovação do governo americano à importação de terra da Irlanda. O raciocínio? Quando os irlandeses imigraram para os Estados Unidos, levaram consigo suas igrejas, escolas e música — a única coisa que tiveram de deixar para trás foi a terra. Então, em parceria com um agrônomo, ele pediu persistentemente ao Departamento de Alfândega dos EUA e ao Serviço de Inspeção de Plantas e Animais para tornar a terra irlandesa legalmente importável, e acabou vencendo.

Até hoje, Alan Jenkins já enviou mais de três milhões de dólares em terra irlandesa — vendida em sacos plásticos de 340 gramas com a etiqueta Terra Irlandesa Oficial — para os Estados Unidos. Para os imigrantes irlandeses, a terra do seu país natal tem um significado quase religioso porque, como muitos judeus, muitos imigrantes irlandeses desejam ser enterrados no solo de sua pátria natal. Um advogado de 87 anos em Manhattan, nascido em Galway, recentemente comprou cem mil dólares em terra irlandesa para encher sua cova americana. Outro irlandês nascido no condado de Cork gastou US$148 mil em algumas toneladas de terra, para colocar embaixo da casa que estava construindo na Nova Inglaterra. Agentes funerários e floristas encomendaram toneladas de terra. Até mesmo atacadistas na China descobriram que terra pode ser um negócio lucrativo, com clientes chineses sendo seduzidos pela lenda da sorte irlandesa.

Se empresas podem ganhar dinheiro com terra sagrada, por que não podem fazer o mesmo com água benta? Segundo a *Newsweek*, cada garrafa de "Holy Drinking Water (Água Benta Potável), produzida por uma empresa californiana chamada Wayne Enterprises, é abençoada no depósito por um padre anglicano ou católico romano. Assim como um crucifixo ou rosário, uma garrafa de Holy Drinking Water é uma lembrança diária para ser gentil com os outros", diz Brian Germann, o executivo-chefe da Wayne. Para não ser superada, uma empresa da Flórida acabou de lançar um produto chamado Spiritual Water (Água Espiritual), que é basicamente água municipal purificada, adornada com quase uma dúzia de etiquetas cristãs diferentes. A garrafa da Virgem Maria, por exemplo, tem uma Ave-Maria impressa na parte de trás, em inglês e espanhol. Segundo o fundador da empresa, Elicko Taieb, a Spiritual Water ajuda as pessoas a "permanecerem centradas, a acreditarem em si mesmas e em Deus".[2]

Se as pessoas estão dispostas a pagar grandes ou pequenas somas por algumas coisas — como terra e água — que acreditam ter significado religioso ou espiritual, então é claro que espiritualidade e *branding* estão indissociavelmente ligados. Então, me preparei para explicar esse fenômeno. Mas antes que eu pudesse tentar identificar a ligação entre as duas coisas, tinha de descobrir exatamente que qualidades caracterizam uma religião em primeiro lugar. Então, em preparação para o que se revelaria uma das pesquisas mais polêmicas que já realizei, entrevistei 14 líderes proeminentes de várias religiões ao redor do mundo — incluindo catolicismo, protestantismo, budismo e islamismo — para descobrir que características e qualidades seus credos tinham em comum. O que descobri foi que, apesar de suas diferenças, quase todas as principais religiões têm dez pilares comuns subjacentes à sua fundação: uma sensação de pertencimento, uma visão clara, poder sobre os inimigos, apelo sensorial, narração de histórias, grandiosidade, evangelismo, símbolos, mistério e ritual.

E, exatamente como eu suspeitava, esses pilares têm muito em comum com as nossas marcas e produtos mais amados. Vamos ver como.

Você já sorriu com cumplicidade para a pessoa na esteira de corrida ao lado da sua ao notar que vocês estavam usando a mesma marca de tênis esportivo? Ou buzinou e acenou para um sujeito na pista ao lado porque, como você, ele estava dirigindo um Toyota Scion? O meu argumento é o seguinte: quer você goste da Nike, da Neutrogena, da Absolut ou da Harley-Davidson, é provável que tenha uma sensação de pertencimento quando está entre usuários daquela marca — é como ser membro de um clube não tão exclusivo assim.

Essa sensação de pertencimento influencia profundamente nosso comportamento. Pense em grupos aparentemente desconexos como os Vigilantes do Peso em uma reunião, os torcedores no Super Bowl e a plateia de um concerto dos Rolling Stones. Esses eventos reúnem um grupo de pessoas que compartilham uma missão semelhante, seja ela vencer a gordura, ganhar um troféu ou partilhar da alegria coletiva de um espetáculo musical. Na verdade, Joseph Price, professor do Whittier College que estuda os paralelos entre os mundos do esporte e da religião, comparou o Super Bowl a uma peregrinação religiosa. "Uma peregrinação religiosa é mais do que apenas uma viagem a um lugar", diz ele. "Envolve uma exploração interior, a busca de uma meta transcendental, a superação de barreiras e uma cura física ou espiritual."[3]

Vamos, Steelers!

A maioria das religiões também tem uma visão clara. Com isso, quero dizer que suas missões, sejam elas chegar a um certo estado de graça ou alcançar uma meta espiritual, não são ambíguas. E, é claro, a maioria das empresas também tem missões sem ambiguidade. A visão de Steve Jobs para a Apple remonta a meados da década de 1980, quando ele disse: "O homem é o criador da mudança neste mundo. Como tal, deve estar acima dos sistemas e estruturas, e não subordinado a eles." Vinte anos e alguns milhões de iPods mais tarde, a empresa ainda segue em busca dessa visão e, sem dúvida, continuará a fazê-lo daqui a vinte anos. Pense ainda na declaração da missão da Bang & Olufsen, uma fabricante de sofisticados produtos de áudio e vídeo: "Coragem para questionar constantemente o comum em busca de experiências surpreendentes e duradouras." Ou o slogan da IBM: "Soluções para um pequeno planeta." Assim como as religiões, as empresas e marcas de sucesso têm uma noção de missão clara e muito poderosa.

As religiões de sucesso também lutam para exercer poder sobre seus inimigos. Conflitos religiosos existem desde o início dos tempos e basta uma rápida olhada nas notícias para ver que a tomada de posição contra o Outro é uma poderosa força unificadora. O fato de ter um inimigo identificável nos dá não apenas a possibilidade de articular e demonstrar nossa fé, mas também de nos unirmos aos nossos irmãos de credo.

Essa mentalidade do tipo "nós contra eles" também pode ser vista em todo o mundo do consumo. Coca-Cola contra Pepsi, AT&T contra

Verizon, Visa contra MasterCard. Pense na recente campanha da Hertz e no seu slogan: "We're Hertz and they're not" ("Nós somos a Hertz e eles, não"). Ou nos anúncios de tevê nos quais o usuário da Apple, interpretado por um profissional liberal urbano, descolado e bonito que a maioria dos homens deseja ser, e o usuário de um PC, um gorducho esquisito que usa óculos, debatem sobre os respectivos méritos de seus sistemas operacionais (e o usuário da Apple, é claro, sai ganhando). Na verdade, que anúncio ou campanha *não* enfatiza os motivos que tornam um determinado produto melhor do que o da concorrência? Essa estratégia do tipo "nós contra eles" atrai fãs, estimula controvérsia, cria lealdade e nos faz pensar e discutir — e, é claro, comprar.

O apelo sensorial (explorarei mais este ponto no Capítulo 8) é outra característica fundamental das grandes religiões do mundo. Feche os olhos e entre em uma igreja, templo ou mesquita. Você será imediatamente envolto pelo ambiente do edifício ao sentir o cheiro do ar, do incenso e da madeira. Se você abrir os olhos, verá a luz se refletir nos vitrais. Talvez um sino esteja repicando, um órgão esteja sendo tocado, ou um padre, rabino ou reverendo esteja falando. De certa maneira, nossos sentidos nos permitem "sentir" o coração, a alma e o peso de uma religião. E o mesmo não acontece com os produtos? Produtos e marcas evocam certos sentimentos e associações com base em sua aparência, sensação ou aroma. Pense no som inconfundível do toque de um telefone Nokia. Ou no aroma de couro de um Mercedes-Benz novo em folha. Ou nas linhas elegantes e esteticamente agradáveis de um iPod. As qualidades sensoriais de um produto quase sempre evocam uma reação emocional, seja ela de incômodo ou anseio. É por isso que, em 1996, a Harley-Davidson levou a Yamaha e a Honda aos tribunais por violação do copyright do som peculiar que você ouve ao acelerar uma Harley.

Ou pense no Toblerone. Chocolate em formato triangular — qual é o sentido disso? Se a Toblerone estivesse lançando sua marca hoje, a Wal-Mart provavelmente não concordaria em vendê-la; a embalagem não é empilhável. Mas é o apelo que o chocolate tem em nossos sentidos — seu formato irregular, o sabor particularmente doce e sua textura firme, sutilmente áspera — que torna o Toblerone único e que, na verdade, é o segredo do seu sucesso.

A LÓGICA DO CONSUMO | 103

Outra parte integral das religiões é a narração de histórias. As narrativas podem estar reunidas no Novo Testamento, na Torá ou no Alcorão, mas toda religião se baseia em uma série de histórias e contos — centenas e mais centenas deles (às vezes, horripilantes; outras vezes, milagrosos; e, muitas vezes, uma mistura das duas coisas). E os rituais que a maioria das religiões nos apresenta e dos quais pede que participemos — rezando, nos ajoelhando, meditando, jejuando, entoando hinos ou recebendo o sacramento — têm raízes nessas histórias que são a base da fé.

Da mesma maneira, toda marca de sucesso está ligada a algumas histórias. É só pensar na Disney e todos os personagens coloridos que vêm à nossa mente, desde o Mickey Mouse até a fada Sininho ou o capitão Jack Sparrow. Pense nos pequenos recipientes de sal e pimenta que você pegou no seu último voo até Londres pela Virgin Atlantic, aqueles nos quais está escrito *Nicked from Virgin Atlantic* (*Surrupiado da Virgin Atlantic*). Ou pense na decisão recente da Whole Foods de vender um número limitado de sacolas com as seguintes palavras escritas em letras garrafais: *I'm Not a Plastic Bag* (*Não sou uma sacola de plástico*). Se não são sacolas de plástico, o que são? Isso não importava. Intuindo uma história à qual eles mesmos podiam dar sentido, hordas de consumidores fizeram fila, e as sacolas esgotaram quase imediatamente.

A maioria das religiões também celebra uma sensação de grandiosidade (embora algumas enfatizem a austeridade). Você alguma vez já esteve no Vaticano? Entre os tetos abobadados, os belos afrescos, as ricas tapeçarias, móveis e quadros, saímos com a percepção de que somos meros mortais, apequenados por algo muito maior do que nós mesmos. A preservação dessa sensação de grandiosidade é, na verdade, tão importante que nenhum edifício em Roma pode ser mais alto do que a basílica de São Pedro. Pense no esplendor do templo do Buda Dourado em Bangcoc, adornado por um Buda de quase 3,5 metros de altura. Em ouro maciço, a estátua pesa mais de 2,5 toneladas e está avaliada em aproximadamente duzentos milhões de dólares. Muitas empresas trabalham de forma semelhante para inspirar sentimentos de admiração e deslumbramento, desde o hotel Bellagio em Las Vegas até o extraordinário (e extraordinariamente esquisito) hotel Burj Al Arab, em Dubai, que parece repousar inclinado sobre a água, como uma espaçonave que acabou de cair na Terra. Na verdade, basta pensar em várias marcas de luxo — as lojas principais da Louis Vuitton em Paris, da Prada em Tóquio, da Apple em Nova York e Chicago. Tudo isso foi criado para gerar uma noção de grandiosidade.

Algumas empresas e produtos inspiram deslumbramento pelo simples alcance de sua visão. Pense em como o Google Maps, com a sua capacidade de esquadrinhar a paisagem desde Maine até Marte, imprimiu à empresa uma grandiosidade onipotente, onipresente, como se ela agora fosse dona dos mapas, dos céus e até do espaço exterior. E graças à visão do fanfarrão executivo-chefe Richard Branson, a última grande ambição da Virgin Galactic é, literalmente, levar-nos à Lua.

E quanto à noção de evangelismo — o poder de ir até novos seguidores e conquistá-los? Ao lançar seu serviço Gmail, a Google atraiu seguidores de uma maneira diabolicamente astuta. Ao disponibilizar o serviço apenas para usuários convidados, o Gmail se transformou quase em uma religião virtual; ao receber o convite de um amigo para se unir ao grupo, você se sentia como se tivesse sido aceito em uma comunidade semiexclusiva e vitalícia (só após ter obtido cerca de dez milhões de usuários é que o Gmail abriu suas portas para meros mortais). A American Express tinha uma estratégia semelhante de disponibilização apenas para convidados quando lançou seu ultraexclusivo Centurion Black Card nos Estados Unidos; dezenas de milhares de consumidores ligaram, pedindo para serem colocados na listagem. Todas as religiões, e todas as marcas, não tratam seus convertidos da mesma maneira, fazendo com que eles se sintam honrados por fazer parte daquele grupo?

Os símbolos também são onipresentes na maioria das religiões. A cruz. Uma pomba. Um anjo. Uma coroa de espinhos. Assim como as religiões têm seus ícones, o mesmo acontece com os produtos e marcas. E, embora a logomarca não seja mais, como vimos no Capítulo 4, tão poderosa quanto as empresas acreditavam, à medida que o mercado se torna mais e mais lotado, alguns ícones simples, mas poderosos, estão cada vez mais ganhando força, criando uma linguagem, ou estenografia, global e instantânea. Por exemplo, todos os ícones da Apple — desde a própria logomarca da empresa até a lata de lixo ou a carinha sorridente que você vê ao ligar o computador — estão associados de forma única à empresa, mesmo quando dissociados dos seus produtos. Você sabia que a Apple hoje possui mais de trezentos ícones e que a Microsoft possui mais de quinhentos? Pense nos inconfundíveis Arcos Dourados do McDonald's ou no "swoosh" que é a marca registrada da Nike. (Reza a lenda que a empresa contratou um prestador de serviço para desenvolver uma série de logomarcas e depois pediu aos consumidores que votassem em sua logomarca favorita ticando um quadradinho. O único problema é que ninguém gostou de nenhuma das logomarcas, e então, desesperado, o fundador ticou o único quadradinho sem nenhuma logomarca — que a partir de então se tornou o "swoosh" da Nike.) Muito mais do que as logomarcas dos produtos, esses símbolos evocam em nós associações fortes — que podem ser uma proeza atlética ou a promessa de um cheeseburger suculento — da mesma maneira que os ícones religiosos evocam poderosas associações religiosas.

Você se lembra do bracelete "Live Strong" que Lance Armstrong, heptacampeão do Tour de France, usou em 2004 — uma simples faixa amarela com o objetivo de angariar fundos para as pesquisas sobre o câncer e conscientizar sobre a doença? No início, a Nike distribuía o bracelete gratuitamente, mas, quando aquela faixa de silicone amarelo se tornou um ícone de benevolência, a fundação de Armstrong acabou vendendo o equivalente a setenta milhões de dólares em braceletes, inspirando um monte de cópias que agora são sempre distribuídas em eventos que vão desde excursões de faculdade a jogos da NFL ou concertos de rock.

Símbolos como esses podem ter um impacto extremamente forte na nossa motivação para comprar. Pense em Jimmy Buffett, o cantor e compositor que, em meio a um setor musical calamitosamente em baixa, é um dos poucos profissionais cujos shows estão sempre esgotados, ano após ano — e os ingressos somem em poucos minutos, graças a milhões de fãs (que alegremente se autodenominam Parrotheads). Não importa se Jimmy Buffett e sua banda não emplacam um álbum de sucesso há anos — os fãs continuam correndo para os shows. Então, o que exatamente esse magnata de 61 anos está vendendo? Em um mundo no qual pessoas sobrecarregadas de trabalho estão acorrentadas a telas de computadores e PDAs mesmo durante as férias, Buffett e sua canção mais famosa, "Margaritaville", criaram um séquito baseado em um punhado de símbolos altamente atraentes — sol, mar, descanso, férias de primavera e drinques com rum adornados por pequenos guarda-chuvas coloridos. Esses símbolos nos fazem lembrar que, por mais frenética que seja a nossa vida, ainda podemos relaxar, viver nossas fantasias e nos divertir. Essa é uma marca que Buffett expandiu com uma cadeia de restaurantes, livros e um bem-sucedido programa de rádio via satélite, todos com o nome Margaritaville.

O mistério também é uma força poderosa na religião. Nela, o desconhecido pode ser tão poderoso quanto o conhecido — pense em quantos anos os estudiosos gastaram ponderando sobre os mistérios da Bíblia, do Santo Sudário de Turim ou do Cálice Sagrado. Quando o assunto são marcas, o mistério também pode ser igualmente eficaz para chamar nossa atenção. A Coca-Cola, por exemplo, utiliza uma sensação de mistério com a sua fórmula secreta — uma receita misteriosa e distinta de frutas, óleos e condimentos que a empresa mantém no cofre de um banco em Atlanta. A fórmula é tão misteriosa, na verdade, que muitos estratagemas para obtê-la foram postos em prática. Em junho de 2005, um agente disfarçado que se passava por um representante do alto escalão da Pepsico encontrou-se com um homem que dizia se chamar "Dirk" no aeroporto internacional Hartsfield-Jackson. "Dirk" estava com um envelope que continha documentos da Coca-Cola com uma etiqueta na qual estava escrito "Secreto: Confidencial — Altamente Sigiloso", bem como uma amostra de um novo produto que ainda não havia sido lançado, e venderia esses segredos por US$1,5 milhão (denunciado pela Pepsi, "Dirk" foi capturado mais tarde).

Segundo uma outra história, quando a Unilever estava se preparando para lançar um xampu na Ásia, um funcionário malicioso com tempo de sobra escreveu na etiqueta, só por diversão, "*Contém o Fator X9*". Essa adição de último minuto passou despercebida pela Unilever e, logo depois, milhões de frascos de xampu foram mandados às lojas com aquelas quatro palavras escritas na etiqueta. Fazer um *recall* de todo o xampu teria saído caro demais, então a Unilever simplesmente deixou o fato passar. Seis meses mais tarde, quando aquele lote de xampu esgotou, a empresa reimprimiu a etiqueta, dessa vez sem fazer referência ao inexistente "Fator X9". Para surpresa geral, a empresa logo recebeu um monte de cartas indignadas dos clientes. Nenhum deles fazia ideia do que fosse o Fator X9, mas estavam revoltados porque a Unilever havia ousado retirar o componente da fórmula. Na verdade, muitas pessoas afirmavam que o xampu não funcionava mais e que os seus cabelos haviam perdido o brilho, tudo porque a empresa havia retirado o ilusório Fator X9. Isso mostra simplesmente que, quanto mais mistério e intriga uma marca é capaz de cultivar, maior é a probabilidade de nos agradar. Você já teve uma Sony Trinitron? Que diabos *é* um Trinitron, afinal de contas? Eu é que sou o especialista em marcas, mas não faço a menor ideia. Uma vez perguntei a um executivo da Sony o que *exatamente* era um Trinitron, e a resposta que ele me deu foi tão complicada que, 45 minutos mais tarde, eu ainda não havia conseguido entender bem. A questão é que um Trinitron, seja lá o que for ou o que faça, continua a ser um mistério para mim — mas eu quero um, mais do que nunca.

Nos últimos anos, houve até uma tendência na indústria global de cosméticos de criar mistério em torno de sua marca lançando fórmulas "científicas" que supostamente ajustam a fragrância ao DNA de quem as usa. Apesar de ser uma bobagem sem tamanho, a ideia de que um perfume se ajusta ao DNA de uma pessoa não impediu que nenhuma dessas empresas tentasse convencer os consumidores de que tais fórmulas existem. Veja o exemplo do novo creme regenerador da Chanel, o Sublimage. "No coração do Sublimage", diz o texto, "está a quintessência de um ingrediente ativo único, o Planifolia PFA, um verdadeiro catalisador da renovação celular... Agora o Sublimage se tornou uma verdadeira experiência de cuidados com a pele, junto com o novo Fluido e Máscara PFA: Polifracionamento de Ingredientes Ativos... Um processo específico desenvolvido pela Chanel que permite a criação do Planifolia PFA, um ingrediente ativo ultrapuro para cosméticos. Patente pendente".

Desculpe, mas o que isso significa? É uma conversa de doido — mas é um mistério.

Ritual, superstição, religião — conscientemente ou não, todos esses fatores contribuem para formar nosso pensamento quando compramos algo. Na verdade, como os resultados desse estudo de imagens cerebrais mostrariam, os produtos de maior sucesso são aqueles que têm mais em comum com as religiões. Veja a Apple, por exemplo, uma das marcas mais populares — e rentáveis — do mercado.

Nunca vou me esquecer da conferência Apple Macromedia a que assisti em meados dos anos 1990. Sentado em um centro de convenções abarrotado em São Francisco no meio de milhares de fãs exaltados, fiquei surpreso quando Steve Jobs, o fundador e executivo-chefe da empresa, apareceu no palco usando sua habitual malha de gola alta e aparência monástica, e anunciou que a Apple encerraria a produção de sua marca de computadores de mão Newton. Jobs então jogou dramaticamente um Newton em uma lata de lixo a uma certa distância para sublinhar a decisão. O Newton tinha acabado. Já era.

Furioso e desesperado, o homem ao meu lado puxou o seu próprio Newton, jogou-o no chão e começou a pisoteá-lo furiosamente. Do outro lado, um homem de meia-idade começou a chorar. O caos estava se instalando no Moscone Center! Era como se Jobs tivesse anunciado que o Segundo Advento não aconteceria. De repente, percebi — da mesma forma que percebi anos mais tarde, quando fui à loja-templo da Apple no centro de Manhattan e fiquei perplexo ao ver um raio de luz matutina atravessando o vidro e iluminando a logomarca da Apple, semelhante a uma estrela de Belém, que pendia do teto — que aquilo não era uma simples demonstração de produto. Para seus milhões de fervorosos clientes, a Apple não era uma marca, era uma *religião*.

AGORA VOCÊ PODE ESTAR PENSANDO: "Tudo bem, mas existem provas científicas de que as marcas têm muito em comum com espiritualidade e religião?"

É isso que o meu estudo seguinte de imagens cerebrais descobriria. Era a primeira vez que alguém tentava provar a existência de uma ligação científica entre as marcas e as religiões do mundo. E os resultados se revelaram tão inovadores quanto o próprio estudo.

Nessa parte da pesquisa, optei por examinar a força de marcas icônicas como Apple, Guinness, Ferrari e Harley-Davidson, não apenas porque essas são marcas populares, mas também porque são marcas que eu chamo de "quebráveis". "Quebre sua marca" é uma expressão que remonta a 1915, quando a Coca-Cola pediu que um designer em Terre Haute, Indiana, criasse uma garrafa que os consumidores pudessem reconhecer como uma garrafa de Coca-Cola mesmo que estivesse estilhaçada em mil pedaços.

Tente quebrar uma marca. Pegue aquela camisa de linho Ralph Lauren nova, verde-limão, pela qual você acabou de desembolsar US$89,50. Como você não pode fisicamente quebrar tecido, pegue um par de tesouras e corte a camisa em cem pedacinhos. Esconda o pedaço esfarrapado com o jogador de polo bordado. Se examinar cada pedaço individualmente, você consegue dizer que foi a Ralph Lauren que fabricou a camisa? Duvido. A qualidade do tecido de linho pode indicar que aquilo que você está segurando provavelmente custa muito mais do que uma marca mediana, mas, sem o jogador de polo, não há como dizer se a camisa foi desenhada por Calvin Klein, Liz Clairborne, Perry Ellis, Tommy Hilfiger ou alguma outra pessoa. (Uma vez, ao visitar uma fábrica na China, descobri que as mesas ficavam repletas de uma marca de roupa pela manhã e outra marca pela tarde. A única diferença: a logomarca em algodão, que, como acabamento, os operários colocavam cuidadosamente em cada camisa, suéter ou jaqueta, criando o único e assombroso diferencial entre as camisas que eram de marca e as que não eram.)

Então, por que produtos como Guinness, Ferrari, Harley-Davidson e Apple são "quebráveis"? Bem, algumas gotas de Guinness são tão reconhecíveis quanto um copo cheio, as rodas de uma Harley são tão inconfundíveis quanto a própria moto, e um pedaço de sucata de uma Ferrari que teve perda total não poderia ter outra origem — graças ao seu exclusivo tom de vermelho. E, embora você possa fechar os olhos ao arremessar um iPod contra uma parede de tijolos, quando catar os pedaços saberá o que "quebrável" realmente significa. Na verdade, dê uma olhada na frente do seu iPod agora. Você vê a logomarca da Apple em algum lugar? Duvido, porque não há. Ainda assim, você o confundiria com um aparelho de qualquer outra marca? Duvido disso também.

Usei marcas quebráveis nessa parte do estudo porque são as que tendem a ser mais fortes e cativantes emocionalmente — em outras palavras, seus seguidores são passionais e leais. Mas, a fim de obter um quadro mais claro da nossa relação com marcas fortes, eu sabia que também precisava avaliar a reação dos nossos voluntários a marcas fracas. Então, incluí Microsoft, BP e inúmeras outras marcas que têm o mesmo perfil. Por que essas? Bem, são marcas que, a meu ver, causam emoções limitadas, ou até mesmo negativas, nos consumidores. Em outras palavras, deixam a maioria de nós indiferente.

A despeito de estarmos mostrando aos voluntários marcas "fortes" ou "fracas", era importante que cada uma fosse líder em sua categoria. Assim, podíamos ter certeza de que os resultados não seriam distorcidos por marcas menores ou desconhecidas.

Antes de começar o estudo, pedimos aos nossos 65 participantes para classificar a própria espiritualidade em uma escala crescente de um a dez. A maioria posicionou a própria devoção entre sete e dez. Daquela vez, também restringimos os voluntários a apenas homens, pois estávamos combinando o nosso estudo com uma experiência correlata direcionada especificamente para os homens: será que o esporte, e os heróis do esporte, ativavam as mesmas áreas do cérebro que as religiões? Afinal, assim como os membros de uma religião, os fãs de esporte têm uma forte sensação de pertencimento; os times têm uma missão clara (vencer); e, é claro, uma forte noção do tipo "nós contra eles". O esporte também tem um forte apelo sensorial (pense no cheiro de um campo de futebol com a grama recém-cortada no dia do jogo, no aroma de dar água na boca dos cachorros-quentes do estádio ou no som do hino nacional tocado antes do início da partida). Poucas coisas parecem mais grandiosas do que vencer um campeonato, uma medalha ou um troféu, e histórias e mitos (a Maldição de Bambino,[4] por exemplo) estão por toda parte no mundo esportivo. Então, decidi comparar como o cérebro reagia a ícones e objetos esportivos e como reagia a imagens religiosas.

Um de cada vez, ao longo de alguns dias, os voluntários entraram no laboratório da dra. Calvert e foram ligados ao aparelho de IRMf. A sala ficava escura, e as imagens começavam a ser exibidas em sequência: uma garrafa de Coca-Cola. O papa. Um iPod. Uma lata de Red Bull. Contas de um rosário. Uma Ferrari esportiva. A logomarca do eBay. Madre Teresa. Um cartão American Express. A logomarca da BP. A fotografia de uma criança rezando. A logomarca da Microsoft. Por fim, imagens de alguns times e indivíduos do mundo do futebol americano, críquete, boxe, futebol e tênis. Um banco de igreja, seguido por David Beckham, seguido pelo hábito de uma freira, seguido pela Copa do Mundo. E assim por diante.

Quando a dra. Calvert analisou os dados do IRMf, descobriu que marcas fortes geravam mais atividade do que marcas fracas em muitas áreas do cérebro ligadas a memória, emoção, tomada de decisões e significado. Isso não me surpreendeu muito. Afinal, faz sentido que uma imagem da BP Oil inspire menos emoções do que a imagem de uma Ferrari vermelha reluzente.

Mas a descoberta seguinte da dra. Calvert é que foi realmente fascinante. Ela percebeu que, quando as pessoas viam imagens associadas a marcas fortes — iPod, Harley-Davidson, Ferrari e outras —, seu cérebro registrava exatamente os mesmos padrões de atividade registrados quando elas viam as imagens religiosas. Em suma, não havia diferença perceptível entre a maneira como o cérebro dos participantes reagia a marcas fortes e a ícones e figuras religiosas.

E, na verdade, apesar de tudo que o mundo do esporte compartilha com as grandes religiões, nem mesmo astros do esporte ou imagens esportivas suscitavam uma reação emocional tão forte no cérebro quanto as marcas fortes e fracas. Todavia, ver imagens dos astros do esporte *realmente* ativava a parte do cérebro associada à sensação de recompensa (o córtex orbitofrontal medial inferior) de uma maneira semelhante aos padrões de excitação gerados pelos ícones religiosos, sugerindo que os sentimentos de recompensa associados a uma vitória no campo de futebol eram semelhantes aos sentimentos de recompensa associados a, por exemplo, um sermão ou prece comovente na igreja.

Contudo, tanto as marcas fortes quanto as fracas tinham muito mais poder do que as imagens esportivas para estimular as regiões cerebrais de armazenamento de lembranças e tomada de decisões. Intuitivamente, isso faz sentido; afinal de contas, quando estamos pensando em comprar ou não um televisor, uma câmera digital ou um vestido novo, nosso cérebro evoca todos os tipos de informação a respeito do produto — preço, recursos, nossas experiências passadas com ele — e toma uma decisão adequada. Porém, quando o assunto é esporte, há pouca busca de informações ou tomada de decisões envolvida; torcemos pelo Red Sox ou pelo Indianapolis Colts simplesmente porque *sim*.

Resumindo, nossa pesquisa mostrou que as emoções que nós (pelo menos aqueles que se consideram devotos) sentimos ao sermos expostos a iPods, Guinness e carros esportivos da Ferrari são semelhantes às emoções geradas por símbolos religiosos como cruzes, contas de rosários, Madre Teresa, a Virgem Maria e a Bíblia. Na verdade, as reações dos nossos voluntários às marcas e aos ícones religiosos não foram simplesmente semelhantes, foram quase idênticas. Porém, quando eles viram marcas emocionalmente mais fracas, áreas completamente diferentes do cérebro foram ativadas, sugerindo que marcas fracas não evocaram as mesmas associações.

É claro, o envolvimento emocional que temos com marcas fortes (e, em menor grau, com os esportes) possui muitos paralelos com nossos sentimentos a respeito de religião. E é por isso que publicitários e anunciantes começaram a utilizar mais elementos do mundo religioso para nos instigar a comprar seus produtos. Eu mesmo vi exemplos dessa tendência em primeira mão. Uma vez, em uma reunião de gerentes seniores em Paris, o executivo-chefe de uma grande empresa de perfumes levantou a mão. "Temos algum ingrediente mágico?", perguntou ele ao engenheiro-chefe. O engenheiro franziu o cenho: "Hum... água?", disse por fim. Logo a empresa desenvolveu um ingrediente "mágico" e o adicionou à mistura.

A Lego foi uma das primeiras empresas a infundir ritual e religião em seus produtos. Eu estava trabalhando para a empresa na época e tive o que considerei uma excelente ideia: lançar um calendário adventista virtual no site da empresa. A Lego a adorou; era barata e não apresentava riscos. Ou pelo menos isso era o que eles pensavam. A uma certa altura, a lama bateu no ventilador. O primeiro problema era técnico — as crianças na Nova Zelândia e na Austrália não conseguiam abrir as portas no dia certo, pois estavam 24 horas adiantadas em relação a algumas partes do mundo (resolvemos esse problema contratando um programador de Java que escreveu um script para usuários de diferentes nacionalidades).

Mas o segundo problema, que se revelou muito maior, é que os calendários adventistas são específicos do mundo cristão e, praticamente da noite para o dia, a Lego começou a ser vista como uma empresa que promovia uma plataforma religiosa. Milhares de e-mails furiosos de todo o mundo encheram minha caixa de correio — e era eu que tinha de responder a cada um deles. Logo aprendi que o uso direto da religião na publicidade (ao contrário de uma abordagem mais implícita e sugestiva), além de não funcionar, podia na verdade prejudicar uma marca lendária.

Na Itália, a gigante da telefonia celular Vodafone logo começará a oferecer um serviço que transmite frases do papa diariamente por meio de mensagens de texto enviadas aos seus assinantes. De acordo com um artigo no *The Guardian*, jornal do Reino Unido, a Vodafone também vai oferecer outro serviço de mensagens de texto no qual os assinantes podem receber uma foto diária de um santo, acompanhada de sua frase mais conhecida.[5]

Então, será que outras empresas tentam deliberadamente incorporar elementos religiosos ao seu marketing? Tenho certeza de que sim, mas posso garantir com quase 100% de certeza que, pelo menos nos Estados Unidos, elas nunca vão admitir isso.

DEIXE A RELIGIÃO DE LADO AGORA e finja que você está comprando um novo televisor. O que faz você escolher um Samsung no lugar de um Philips? Ou, se você estiver a fim de um biscoito, por que parte direto para o Triscuits e não o Wheat Thins; o Chips Ahoy e não o Pecan Sandies? E, quando você quis comprar um carro ano passado, por que só pensou em um Toyota? O que está acontecendo dentro da sua cabeça?

No próximo capítulo, daremos uma olhada na fascinante descoberta científica conhecida como marcadores somáticos, e como esses "marcadores do cérebro" podem afetar o modo como escolhemos um produto em detrimento de outro. E isso nos levará a uma experiência que envolveu um dos sons mais conhecidos — e mais unanimemente odiados — do mundo e revelou uma descoberta que deixou os executivos da Nokia perplexos.

7
POR QUE ESCOLHI VOCÊ?
O poder dos marcadores somáticos

Venha comigo ao supermercado. Não vai demorar; nossa lista tem apenas uns poucos itens.

Primeiro, vamos em direção à seção de manteiga de amendoim. Tem Skippy, Peter Pan, Jif, a marca genérica do supermercado e algumas marcas orgânicas mais honradas — sem sal, sem adição de açúcar, o tipo no qual o óleo fica na parte superior.

A maioria dos consumidores pensa em sua escolha por dois segundos. Nesse caso, digamos que você pegue a da marca Jif, então seguimos até nosso próximo ponto de parada.

Sua decisão foi racional? Você pode ter achado que sim ao fazer a escolha, mas não foi, de jeito nenhum. Se o processo de tomada de decisões foi consciente — e articulado —, acho que deve ter sido algo mais ou menos assim: "Associo a Skippy à infância... existe desde sempre, então acho que é confiável... mas não está cheia de açúcar e outros conservantes que eu não deveria comer?... O mesmo se aplica à Peter Pan; além disso, o nome é tão infantil... E não vou comprar aquela marca genérica. Custa trinta centavos menos, o que me deixa desconfiado. Pelo que sei, você leva o que está pagando... As orgânicas? Sem gosto, das poucas vezes que experimentei... também sempre precisa de sal... E também li em algum lugar que 'orgânico' não significa necessariamente uma vantagem, e além disso custa o dobro do preço... Jif... Qual é aquele velho slogan deles? 'Mães exigentes exigem Jif'... Bem, sou uma pessoa criteriosa..."

Essas são as conversas subconscientes que passam por nossa cabeça toda vez que escolhemos um produto em detrimento de outro. Elas raramente são articuladas em voz alta. Em vez disso, confiamos em atalhos quase instantâneos que nosso cérebro criou para nos ajudar a tomar decisões relativas a compras.

A nossa próxima parada é água engarrafada. Existem dezenas de garrafas cintilantes, tanto de vidro quanto de plástico, de todas as formas e tamanhos também. Mais uma vez, vamos imaginar a conversa racional que pode acontecer dentro da sua cabeça enquanto você decide qual comprar: "Dasani... não, essa é fabricada pela Coca-Cola... Alguém me disse que não passa de água da torneira com um nome metido à besta... Não quero que minha água engarrafada seja 'comercial'; ela deve ser especial, chique... Espere, e essa aqui? Iskilde. De longe, a garrafa mais bonita na prateleira. Da Dinamarca... Não faço ideia do que Iskilde quer dizer, mas a Dinamarca não é uma terra cheia de neve, córregos e pessoas saudáveis esquiando nas montanhas? Até as letras no rótulo da garrafa são azul-claro, como olhos escandinavos... A garrafa é tão moderna, *clean* e de aparência glacial — como a água de uma torrente dinamarquesa... Iskilde, parece até um dinamarquês dizendo: 'É gelada.' E também é cara, o que provavelmente significa que é especial..."

E, assim, a Iskilde vai parar no seu carrinho. Você nunca provou aquilo, mas seu instinto diz que você tomou a decisão certa. Se eu pedisse para que descrevesse como chegou a essa decisão, você provavelmente daria de ombros e responderia: "Instinto", "Nenhum motivo específico" ou "Simplesmente escolhi". Mas a verdadeira base lógica por trás das suas escolhas estava alicerçada sobre as associações de toda uma vida — algumas positivas, outras negativas —, das quais você não tinha percepção consciente. Porque, ao tomarmos decisões a respeito do que compramos, nosso cérebro evoca e rastreia uma quantidade incrível de lembranças, fatos e emoções; e as compacta em uma reação rápida — uma espécie de atalho que permite que você viaje de A a Z em alguns segundos, e determina o que você acabou de colocar dentro do seu carrinho de compras. Um estudo recente realizado pela marca alemã especialista em varejo Gruppe Nymphenberg descobriu que mais de 50% de todas as decisões de compra dos consumidores são tomadas espontaneamente — e, portanto, inconscientemente — no ponto de venda.

Esses atalhos cerebrais têm um outro nome: marcadores somáticos.

O FILÓSOFO GREGO SÓCRATES DISSE UMA vez para seu discípulo Teaetetus imaginar a mente como um bloco de cera, "no qual estampamos o que percebemos ou concebemos". Sócrates disse que conhecemos e nos lembramos de tudo o que for impresso na cera, desde que a imagem permaneça na cera, mas que "esquecemos e desconhecemos o que é obliterado ou não pode ser impresso".[1] Uma metáfora tão sugestiva e difundida que ainda dizemos que uma experiência "causou uma impressão".

Imagine por um momento que você é uma criança de seis anos de idade. Você acabou de voltar da escola e está com fome, então vai até a cozinha para ver que cheirinho gostoso é aquele que está saindo do forno. Ao abrir a porta do forno, você vê uma forma azul-marinho igual à da Le Creuset. Começa a puxar a forma para fora quando pula para trás com os dedos ardendo. Você está chorando; seus pais vêm correndo; e, se a queimadura não foi muito grave, meia hora mais tarde você está brincando novamente com seus trens, dinossauros ou tubarões.

A ardência nos seus dedos desaparecerá em alguns dias, mas sua mente não é tão leniente. Não vai esquecer o que aconteceu; sem dúvida não vai esquecer jamais. Subconscientemente, os neurônios no seu cérebro acabaram de montar uma espécie de equação que une os conceitos de "forno", "quente", "dedos", "grelha" e "dor lancinante". Em suma, essa cadeia de conceitos, partes do corpo e sensações cria o que o cientista Antonio Damasio chama de marcador somático — uma espécie de lembrete, ou atalho, em nosso cérebro. Unidos por experiências anteriores de recompensa e punição, esses marcadores servem para conectar uma experiência ou emoção a uma reação específica necessária. Ao nos ajudar instantaneamente a reduzir as possibilidades disponíveis em uma situação, os marcadores somáticos nos guiam em direção a uma decisão que sabemos que irá gerar o melhor resultado, ou o resultado menos doloroso. Com bem mais do que seis anos de idade, "sabemos" se é certo ou não beijar uma anfitriã que mal conhecemos depois de um coquetel, se é seguro ou não jogar um carro num lago, como nos aproximar de um pastor alemão, e temos certeza de que nossos dedos ficarão queimados se, sem usar luvas de proteção, pusermos a mão dentro do forno. Se alguém nos pergunta como ou por que sabemos essas coisas, a maioria de nós dá de ombros — que pergunta engraçada — e atribuímos a nossa reação ao "instinto".

São esses mesmos atalhos cognitivos que estão por trás da maioria das nossas decisões de compra. Lembre-se: você levou menos de dez segundos para escolher os produtos das marcas Jif e Iskilde, com base em uma série completamente inconsciente de avisos em seu cérebro que o levaram diretamente para uma reação emocional. De repente, você "simplesmente sabia" qual marca queria, mas não tinha consciência alguma dos fatores — a forma da embalagem do produto, lembranças de infância, preço e um monte de outras considerações — que o levaram a tomar aquela decisão.

Mas os marcadores somáticos não são simplesmente uma coleção de reflexos da infância e da adolescência. Todo dia fabricamos novos marcadores, adicionando-os à ampla coleção já existente. E quanto maior a coleção de marcadores somáticos do nosso cérebro, sejam eles para xampus, cremes faciais, gomas de mascar, pastilhas para o hálito, batatas fritas, garrafas de vodca, cremes de barbear, desodorantes, vitaminas, camisas, calças, vestidos, tevês ou câmeras de vídeo, maior o número de decisões de compra que somos capazes de tomar. Na verdade, sem os marcadores somáticos não seríamos capazes de tomar decisão alguma — e muito menos estacionar um carro, andar de bicicleta, fazer sinal para um táxi, decidir quanto dinheiro tirar no caixa eletrônico, colocar uma lâmpada em um bocal sem ser eletrocutado ou tirar uma assadeira quente do forno.

Por exemplo, por que tantos consumidores optam por comprar um Audi e não outros carros com um design igualmente atraente, uma pontuação de segurança comparável e preços semelhantes? É bem capaz que isso tenha a ver com o slogan da empresa: *Vorsprung durch Technik*. Bem, duvido muito que muitas pessoas fora da Alemanha ou da Suíça saibam o que isso significa (uma tradução aproximada seria "progresso e/ou vantagem através da tecnologia"; os fãs do U2, e me incluo nesse grupo, notarão que Bono murmura essa frase no início da canção "Zooropa"). Mas essa não é a questão. A maioria das pessoas *vai* adivinhar corretamente que a frase está em alemão. Nosso cérebro liga "automóvel" a "Alemanha" e a tudo o que captamos ao longo da nossa vida sobre a avançada fabricação automobilística teutônica. Parâmetros elevados. Precisão. Consistência. Rigor. Eficiência. Confiabilidade. O resultado: saímos do *showroom* com as chaves de um novo Audi nas mãos. Por quê? Raramente temos consciência disso, mas o fato é que, em um mundo repleto de carros que, em sua maioria, são iguais, um marcador somático que liga Alemanha e excelência tecnológica ganha vida em nosso cérebro e nos encaminha para a preferência por uma marca.

Ou vamos imaginar que você esteja escolhendo uma câmera digital. Mesmo com a vasta gama de recursos — zoom óptico, avançados processadores de imagem, dispositivos de reconhecimento facial, corretores de olhos vermelhos —, a maioria delas parece igual. Então, por que você se vê gravitando em direção às câmeras que vêm do Japão? Antigamente, antes de o Japão se tornar um líder global em tecnologia industrial, as palavras "Made in Japan" faziam com que você se afastasse. Você as associava a brinquedos baratos, aparelhos que caíam em pedaços depois de 15 minutos e mercadorias de qualidade baixa, para o mercado de massa, montadas por pessoas que trabalhavam em condições sub-humanas. Mas, agora, você acha que qualquer coisa feita no Japão é uma maravilha da mais alta sofisticação. Mais uma vez, com base apenas em uma série de marcadores inconscientes, a sua mente faz uma ligação entre Japão e excelência tecnológica, e você sai da loja com uma nova câmera japonesa debaixo do braço.

Até aqui, está tudo muito bem, mas você deve estar se perguntando: "Como esses marcadores se formam? E será que as empresas e os anunciantes trabalham para criá-los deliberadamente em nosso cérebro?" Pode apostar. Veja os comerciais de televisão. Se você alguma vez já teve de escolher pneus, sabe que todos têm a mesma aparência — Dunlop, Bridgestone, Goodyear —, todos um mar de borracha preta. Porém você segue automaticamente, por exemplo, para a seção da loja onde estão os pneus Michelin. Você sabe que está fazendo a escolha certa, mas, na verdade, não consegue explicar por quê. Na verdade, sua preferência por uma marca tem muito pouco a ver com os próprios pneus, mas sim com os marcadores somáticos que a marca cuidadosamente criou. Lembra-se daquela gracinha de bebê que a Michelin usou certa vez em sua publicidade? E o Homem Michelin, cuja aparência roliça sugere o acolchoamento protetor de um pneu bem feito? E, depois, tem também os Guias Michelin, aqueles pequenos e abonados guias de viagem e restaurantes de alto nível (que a empresa inventou para que os consumidores dirigissem por aí em busca dos melhores restaurantes — e, portanto, comprassem mais pneus). A questão é que todos esses marcadores aparentemente desconexos criam deliberadamente certas associações — segurança para as crianças no carro; durabilidade confiável; e uma experiência europeia de alta qualidade e topo de linha. E são essas poderosas associações que se unem para guiá-lo em direção a uma escolha que parece racional, mas que não é.

O professor Robert Heath, um consultor britânico que, entre outras coisas, escreveu muito sobre os marcadores somáticos, investigou o sucesso de uma marca de papel higiênico britânica chamada Andrex que vende quase o dobro do que a concorrente mais próxima, a Kleenex, no Reino Unido. Ambas as empresas gastam a mesma quantia em comerciais de tevê, têm uma qualidade igualmente alta e quase o mesmo preço. A explicação de Heath para o sucesso da Andrex? Um pequeno filhote de labrador. Mas, por favor, me diga o que um cachorrinho tem a ver com um pacote de oito rolos de papel higiênico?

Durante anos, a Andrex usou a mascote canina para anunciar como o seu papel higiênico era "macio, forte e muito comprido". Em uma série de comerciais, o filhote é visto escorregando por uma montanha coberta de neve em cima de uma folha de papel higiênico; em outra, uma mulher segura o filhote enquanto, atrás deles, uma longa faixa de papel higiênico Andrex esvoaça e se agita na traseira de um carro em movimento. De início, a ligação entre filhotes e papel higiênico parece obscura, um pouco aleatória. Mas Heath escreve: "Filhotes de cachorros estão ligados a jovens famílias que estão crescendo; existe até uma ligação entre filhotes de cachorro e ensinar a criança a usar o vaso sanitário. As ligações entre qualquer um desses conceitos e as associações com o filhote podem ser criadas e reforçadas cada vez que os anúncios são vistos." Heath acrescenta: "Diante da necessidade de comprar papel higiênico, o consumidor médio não vai parar e tentar se lembrar dos anúncios. No entanto, ao utilizarem seus sentimentos intuitivos a respeito das duas marcas, é provável que eles tenham um conjunto muito mais rico de ligações conceituais com a Andrex do que com a Kleenex... Tudo o que eles fazem é 'sentir' que a Andrex é, de alguma maneira, indefinivelmente 'melhor' do que a Kleenex."[2]

Para os anunciantes, é fácil e barato criar um marcador somático no cérebro dos consumidores. Vejamos um exemplo da vida real. Como você sabe que deve olhar para os dois lados ao atravessar a rua? É provável que alguma vez um acidente quase tenha acontecido e que você tenha ficado chocado — e esse choque nunca mais o abandonou desde então. Como geralmente são associações entre dois elementos incompatíveis — nesse caso, uma manhã tranquila e o som de uma freada repentina —, os marcadores somáticos são muito mais memoráveis, e duradouros, do que outras associações que formamos ao longo de nossa vida. E é por isso que, ao tentarem prender nossa atenção, os anunciantes visam criar associações surpreendentes, até mesmo chocantes, entre duas coisas absurdamente disparatadas.

Tome como exemplo um sujeito chamado Tom Dickson. Tom Dickson parece qualquer pai de meia-idade que mora num subúrbio do Meio-Oeste dos EUA. Mas esse pai de classe média tem um emprego muito fora do comum. Ele vende liquidificadores. Isso, no entanto, não é o que ele tem de mais bizarro. Para anunciar os liquidificadores, ele criou uma série de vídeos curtos, disponíveis no site da Blendtec Blender (que migraram viralmente para o YouTube), e que iniciam com a pergunta: "Will it blend?" ("Será que vai picar?") — um conceito provavelmente emprestado do famoso esquete de Dan Akroyd no programa *Saturday Night Live*, no qual ele usava um liquidificador para pulverizar um peixe. À medida que os espectadores assistem ao vídeo com os olhos arregalados, Tom Dickson prossegue moendo, cortando, amassando, triturando, esmagando e aniquilando uma série de objetos dentro do seu liquidificador de cozinha. Isqueiros Bic. Uma lanterna. Um pedaço de mangueira de jardim. Três discos de hóquei no gelo. Até mesmo um iPhone da Apple. Toda semana, Tom Dickson assume como missão a pulverização de algo novo e aparentemente impulverizável.

Assistir a um iPhone girar e estalar até ser reduzido a uma massa fumegante de partículas pretas é, no mínimo, inesquecível. É algo que cria um marcador somático tão dramático em nosso cérebro que, da próxima vez que estivermos fazendo uma vitamina de morango, não conseguiremos deixar de pensar: "Será que o liquidificador da Blendtec Blender funcionaria melhor?" Nosso cérebro associa a marca do liquidificador à imagem memorável de um iPhone sendo reduzido a um monte de poeira fumegante e, mesmo sem percebermos conscientemente, pegamos a caixa do liquidificador Blendtec.[3]

A Sony criou um engenhoso marcador somático nas semanas que precederam o lançamento de *Homem-aranha 3*, usando os banheiros masculinos de alguns cinemas. Um sujeito entrava e via uma série de mictórios e cabines convencionais. Nada fora do comum. Isso até ele olhar para cima e ver um único mictório de plástico dois metros acima da sua cabeça. Ao lado, as palavras: *Homem-aranha 3... Em breve.* Bastante memorável, não?

E lembra-se do coelhinho das pilhas Energizer? "Nothing outlasts the Energizer. He keeps going and going and going..." ("Nada dura mais do que uma Energizer. Ela continua e continua e continua..."). Um bichinho de pelúcia rosa batendo num tambor, marchando em cima de mesas de jantar, derrubando garrafas de vinho. Impossivelmente irritante. E também impossível de não associar a durabilidade quando você está dando uma olhada na seção de pilhas.

Quinze anos atrás, quando eu morava em Copenhague e trabalhava para uma agência de publicidade, Luciano Pavarotti foi pela primeira vez à Dinamarca. Foi um grande evento, e os dinamarqueses ficaram exultantes. Estava tudo pronto para comemorar sua chegada — jantares de gala, transmissões especiais, entrevistas e transmissões ao ar livre. Mas, no último minuto, o tenor cancelou a apresentação porque estava com dor de garganta. Acho que nunca vi uma tal decepção nacional. Fiquei preocupado achando que o país inteiro teria de tomar Prozac.

Mas aquilo deu a mim e à minha equipe de publicitários uma ideia. Em poucas horas, conseguimos convencer a fabricante das pastilhas para garganta GaJol a comprar espaço em jornais e revistas com um novo slogan: *Se Pavarotti conhecesse a GaJol...* Transformamos um desastre nacional em um golpe publicitário a favor da empresa. Quinze anos mais tarde, muitos dinamarqueses ainda associam as pastilhas GaJol ao amado cantor lírico. Isso demonstra que os marcadores somáticos são difíceis de apagar.

Uma outra vez, ao visitar a Europa Oriental, sentei-me perto do executivo-chefe de um dos maiores bancos da região. Ele me perguntou como poderia aumentar o reconhecimento da marca do seu banco. Bem, eu havia acabado de fazer uma grande refeição e de tomar algumas taças de vinho, e isso provavelmente contribuiu para que eu espontaneamente o aconselhasse a pintar todo o banco — e tudo o que estivesse dentro dele — de cor-de-rosa. O fato de instituições financeiras e cor-de-rosa não combinarem era exatamente o motivo pelo qual eu achava que a ideia fosse funcionar. Seis meses mais tarde, ele me enviou um e-mail. Fez o que eu havia sugerido. Todas as agências, todos os carros, todos os uniformes da equipe, até mesmo sua gravata, estavam cor-de-rosa — mas todo mundo havia odiado. O que ele deveria fazer? "Não mude", eu disse, "e em três meses você vai notar uma diferença". Aproximadamente noventa dias mais tarde, ele me mandou outro e-mail. Agora que os clientes haviam começado a associar o cor-de-rosa do banco ao conforto e à segurança de um cofrinho em forma de porco, o banco tinha o nível de reconhecimento de marca mais alto dentre todos os bancos do país e havia reduzido os custos de marketing pela metade.

ALGUNS ANUNCIANTES CRIAM MARCADORES SOMÁTICOS na mente dos consumidores usando humor. Em um anúncio de Lamisil, uma pílula usada para micoses nos pés, um duende que parecia saído de um desenho animado se aproximava de um pé, levantava um dos dedões e se enfiava debaixo dele, onde logo seus colegas se juntavam a ele — quer dizer, até o dono do pé tomar um Lamisil. Ao antropomorfizar os germes de uma maneira humorística e memorável, esse anúncio criou um poderoso marcador somático que ligava a marca a um poderoso combate aos germes.[4]

Como os marcadores somáticos se baseiam em experiências passadas de recompensa e punição, o medo também pode criar alguns dos marcadores somáticos mais poderosos, e muitos publicitários ficam bem felizes de tirar proveito de nossa natureza estressada, insegura e cada vez mais vulnerável. Praticamente todas as categorias de marcas de que consigo me lembrar usam o medo de forma direta ou indireta. Compramos remédios para afastar a depressão, pílulas para controlar o apetite e nos matriculamos em academias de ginástica para evitar a obesidade; aplicamos cremes e unguentos para aplacar o medo de envelhecer e até compramos softwares para evitar o terror de uma pane no disco rígido. Prevejo que, no futuro próximo, a publicidade vai se basear cada vez mais em marcadores somáticos guiados pelo medo à medida que os anunciantes tentam nos assustar e nos fazer acreditar que, se *não* comprarmos um determinado produto, estaremos menos seguros, felizes e livres, e teremos menos controle sobre nossa vida.

Para examinar um marcador somático guiado pelo medo, vale a pena dar uma olhada no xampu Johnson para bebês. O que ele evoca? Medo da mesma coisa que o produto promete evitar: lágrimas. Lembranças de olhos avermelhados que ardem, da infância até hoje. Deixei cair xampu nos meus olhos recentemente e adivinhe o que aconteceu? *Ainda* dói muito, em qualquer idade. Também vi recentemente um anúncio da pasta de dentes Colgate que dizia que "novas pesquisas científicas estão associando doenças periodontais graves a outras enfermidades como cardiopatias, diabetes e derrames". Resumindo, escove os dentes com Colgate, senão você vai morrer!

E quanto ao transtorno de déficit de atenção e seu rosário de associações negativas e até mesmo catastróficas? Quinze anos atrás, esse transtorno mal existia, mas hoje está sendo diagnosticado a torto e a direito. Não estou sugerindo que algumas crianças não sofram desse mal, ou que não possam se beneficiar de um tratamento, mas o TDA (e o medo que nossos filhos tenham esse transtorno) saturou nossa cultura como um vírus. E o resultado, é claro, são milhões de pais que compram remédios para os filhos. O monólogo interno de um pai pode seguir mais ou menos assim: "Se meu filho não tomar Ritalin, Adderal ou Concerta, não será capaz de se concentrar na escola. Ele vai ficar para trás. Suas notas vão cair. Será marginalizado pelos colegas. Começará a sair com outras crianças com baixo aproveitamento escolar. Não vai entrar na faculdade. Vai pular de um emprego para o outro. Talvez até acabe na cadeia. Tudo isso porque não tratei do TDA quando ele estava no jardim da infância." O medo, segundo a minha experiência, se alastra mais rápido do que qualquer outra coisa — e os anúncios desses remédios foram muito eficazes em nos aterrorizar.

É claro, nem todos os marcadores somáticos se baseiam em dor e medo. Alguns dos mais eficazes dentre eles se baseiam em experiências sensoriais que, de fato, podem ser bastante agradáveis. Portanto, na próxima parte do nosso estudo, vamos analisar o poder dos sentidos nas nossas decisões quotidianas de compra. Em uma experiência revolucionária, colocaremos alguns marcadores somáticos debaixo de um IRMf — e mostraremos como um dos sons mais famosos do mundo pode destruir completamente uma marca amada.

8

UMA SENSAÇÃO DE DESLUMBRAMENTO
Vendendo para os sentidos

Vamos dar uma volta pela Times Square. Vamos fingir que somos turistas com pescoços esticados e olhos irresistivelmente atraídos para cima ao olharmos com avidez para os *outdoors* gigantescos que parecem obliterar todo o céu. Notícias e cotações das empresas em néon vermelho que circundam os prédios, *outdoors* de sete metros de altura de homens só de roupa de baixo, mulheres de *lingerie* rosa, vidros de perfume gigantescos, tequila, relógios incrustados de diamantes para homens e mulheres modernos e abastados. Isso sem falar no borrão fantasmagórico de logomarcas, tudo desde Virgin Records a Starbucks, Skechers, Maxell e Yahoo!. E o mesmo ataque visual está acontecendo no centro de Tóquio, Londres, Hong Kong e de todas as mecas comerciais mundo afora. Mas e se eu dissesse que boa parte desse visual, dessa publicidade escancarada é, para os anunciantes, um esforço em grande medida desperdiçado? Que, na verdade, a visão está longe de ser o sentido mais poderoso para seduzir nosso interesse e nos fazer comprar? E se eu pudesse provar para você que, quando estão trabalhando sozinhos, nossos olhos — os mesmos olhos que observam furtivamente aquele deus nórdico de cueca, aquela beleza petulante só com a parte de baixo do biquíni, aquele frasco de Chanel, aquelas letras que piscam formando as palavras Swatch, JVC, Planet Hollywood, AT&T, Chase Manhattan, McDonald's, Taco Bell, T-Mobile e assim por diante — são, na verdade, muito menos potentes do que acreditávamos há tanto tempo?

Hoje, estamos mais sobrecarregados de estímulos visuais do que nunca. E, de fato, estudos mostraram que, quanto mais somos estimulados, maior a dificuldade para captar nossa atenção.

Uma empresa de rastreamento cerebral chamada Neuroco realizou um estudo para a 20th Century Fox que media a atividade cerebral elétrica e os movimentos oculares em resposta a comerciais inseridos em um *videogame*. Durante um passeio virtual por Paris, os voluntários observavam anúncios em cartazes, pontos de ônibus e na lateral dos próprios ônibus para ver o que mais chamava a atenção deles. O resultado: nada daquilo. Os pesquisadores descobriram que o resultado de toda a saturação visual eram apenas olhos embaçados, e não um nível mais elevado de vendas.

Não estou negando que a visão é um fator crucial na nossa motivação para comprar. Mas, como os dois próximos testes mostrariam, a visão em muitos casos não é tão poderosa quanto pensávamos — e o olfato e a audição são significativamente mais poderosos do que qualquer pessoa jamais sonhou. Na verdade, em uma ampla gama de categorias (e não apenas nas mais óbvias, como alimentos), audição e olfato podem ser ainda mais fortes do que a visão. E esse foi o impulso por trás da experiência que eu e a dra. Calvert realizamos — o primeiro estudo desse tipo em larga escala — para testar o enorme (e nunca antes reconhecido) papel dos sentidos em nossa motivação para comprar o que compramos.

E, como já mencionei, os anunciantes há muito tempo deduziram que a logomarca é *tudo*. As empresas gastaram milhares de horas e milhões de dólares criando, ajustando, alterando e testando suas logomarcas — e certificando-se de que elas estavam bem na nossa frente, em cima da nossa cabeça e tatuadas sob nossos pés. É por isso que os publicitários se concentraram por muito tempo em guiar e motivar os consumidores visualmente. Mas a verdade é que as imagens visuais são muito mais eficazes e memoráveis quando estão associadas a outro sentido — como a audição ou o olfato. As empresas estão descobrindo que, para nos cativar emocionalmente de forma plena, seria melhor não apenas nos inundar de logomarcas, mas também borrifar fragrâncias em nossas narinas e encher nossos ouvidos de música.

Isso se chama *Branding* Sensorial™.

Na primeira de duas experiências correlacionadas sobre as marcas e os sentidos, nossos voluntários testaram duas fragrâncias experimentais para uma conhecida cadeia de restaurantes de fast-food — que vamos chamar de Pete's — e escolheram qual fragrância era o melhor complemento para um certo item do menu.

Durante um mês, a dra. Calvert e sua equipe expuseram os vinte participantes do estudo a imagens (inclusive logomarcas) e fragrâncias de quatro marcas conhecidas. Primeiro, as imagens e as fragrâncias foram apresentadas separadamente e, depois, ao mesmo tempo. As imagens e fragrâncias incluíam o xampu para bebês da Johnson & Johnson, o sabonete Dove, um copo de Coca-Cola com bastante gelo, bem como várias imagens e aromas associados a Pete's e sua cadeia global de lanchonetes de fast-food. Ao apertarem um botão nos seus consoles de mão, os voluntários podiam controlar a aparição das imagens e fragrâncias e classificar o apelo do que estavam vendo e cheirando em uma escala de nove pontos que ia de muito desagradável a muito agradável.

Depois de compilar os dados, a dra. Calvert descobriu que, na maioria das vezes, quando as imagens e as fragrâncias eram apresentadas separadamente, nossos voluntários as achavam tão agradáveis de ver quanto de cheirar, sugerindo que nós, como consumidores, somos seduzidos igualmente tanto pela visão de um produto quanto pelo seu aroma. No entanto, quando apresentou as imagens e as fragrâncias ao mesmo tempo, a dra. Calvert descobriu que, em geral, os participantes consideravam as combinações imagem-fragrância mais atraentes do que apenas a imagem ou a fragrância apresentadas separadamente. E, ainda mais intrigante, quando a dra. Calvert apresentou a nossos voluntários a primeira das duas fragrâncias experimentais do Pete's junto com a imagem de um produto que parecia incongruente em relação ao cheiro — por exemplo, uma fotografia de um sabonete Dove com a fragrância de óleo de canola —, o quociente de agradabilidade caiu, porque a imagem e a fragrância não combinavam.

A outra combinação imagem-fragrância, por outro lado, foi um grande sucesso. Imagine ver um sanduíche de filé de peixe com um levíssimo aroma de limão, talvez evocando aquele verão que você passou grelhando peixe fresco nas praias de Cape Cod ou dos Hamptons. Muito mais agradável, certo? Isso porque, daquela vez, a imagem e o cheiro do produto eram congruentes — uma colaboração perfeita entre os olhos e o nariz.

Então, o que acontece em nosso cérebro e nos faz preferir algumas combinações imagem-fragrância a outras? Como a dra. Calvert explicou, quando vemos e sentimos o cheiro ao mesmo tempo de algo de que gostamos — como talco para bebês Johnson & Johnson combinado com seu característico aroma com traços de baunilha —, várias regiões do nosso cérebro se acendem em uníssono. Dentre elas, o córtex orbitofrontal medial direito, uma região associada à percepção de algo agradável ou gostoso. Mas, nos casos em que uma marca está mal combinada com uma fragrância — por exemplo, xampu para bebês Johnson & Johnson e aroma de cerveja —, acontece uma ativação do córtex orbitofrontal lateral esquerdo, uma região do cérebro ligada a aversão ou repulsa, e é por isso que os voluntários reagiram de forma tão desfavorável às combinações incongruentes. E mais, quando estamos expostos a associações que parecem combinar, o córtex piriforme direito (que é o nosso principal córtex olfativo) e a amígdala cerebelar (que codifica a relevância emocional) se ativam em conjunto. Então, em outras palavras, quando uma fragrância agradável se combina com uma imagem igualmente atraente e correlata, nós não apenas a percebemos como algo mais agradável, mas também ficamos mais propensos a lembrá-la. No entanto, se as duas são incongruentes, pode esquecer. Literalmente.

Mas foi a última descoberta da dra. Calvert que me deixou mais perplexo. Com base em nossa experiência de visão e olfato, ela concluiu que o *odor* ativa várias regiões cerebrais exatamente iguais às ativadas pela *imagem* de um produto — até mesmo a imagem da logomarca daquele produto. Em suma, se você sentir o cheiro de um donut, provavelmente irá vê-lo na sua cabeça — junto com a logomarca da Dunkin' Donuts ou da Krispy Kreme. Está sentindo aquele aroma peculiar da Abercrombie? As letras que soletram A-B-E-R-C-R-O-M-B-I-E & F-I-T-C-H vão piscar como um letreiro da Broadway atrás da sua testa. Então, embora gastem bilhões de dólares por ano saturando nossas calçadas, ondas aéreas e todos os outros lugares com logomarcas, as empresas capturariam nosso interesse com a mesma — ou até maior — eficácia apelando para o olfato.

Todavia, como pode o olfato ativar algumas das mesmas áreas cerebrais ativadas pela visão? Mais uma vez, atribua isso aos neurônios-espelho. Se você sente o aroma de torradas pela manhã, é provável que seu cérebro consiga "ver" uma xícara de café Maxwell House na bancada da sua cozinha. Graças aos neurônios-espelho, o som também pode evocar imagens visuais igualmente poderosas. Nas minhas palestras, costumo pedir à plateia para fechar os olhos. Depois de rasgar um pedaço de papel em dois, pergunto o que acabou de acontecer. "Você simplesmente rasgou um pedaço de papel em dois", as pessoas murmuram com os olhos ainda fechados. Elas não apenas reconheceram o som do papel sendo rasgado, mas, na verdade, estavam visualizando o papel sendo rasgado ao meio.

Como você pode ver, nossos sentidos são incrivelmente importantes para nos ajudar a interpretar o mundo à nossa volta e, por sua vez, desempenham um papel crucial no nosso comportamento. Play-Doh e talco para bebês Johnson & Johnson — cheire rapidamente qualquer um desses produtos, e é bastante provável que você seja transportado (para o bem ou para o mal) até a sua infância. Uma vez, ao dar uma palestra, pedi a um homem na plateia para cheirar um lápis de cera vermelho da Crayola. Ele imediatamente caiu em prantos. Perguntei gentilmente por que ele estava chorando. Ele disse a mim, e aos milhares de outras pessoas na sala, que, quando criança, toda vez que era pego desenhando o carro dos seus sonhos usando os lápis de cera Crayola, a professora o punia batendo com uma régua em seus dedos. Aquela foi a primeira vez que ele cheirou um lápis de cera Crayola desde então. Acredite, foi a última vez que armei uma cilada para um estranho com um lápis de cera.

Se você tivesse de adivinhar, qual fragrância diria que é uma das mais reconhecidas e amadas em todo o mundo? Chocolate? Lilases? Dinheiro? Na verdade, é o talco para bebês da Johnson & Johnson, um aroma amado em toda parte, desde a Nigéria até o Paquistão ou a Arábia Saudita. (Ainda assim, praticamente ninguém consegue lembrar da logomarca da Johnson & Johnson.) Por que o talco para bebês da Johnson & Johnson? O poder da associação sensorial. Não importa sua idade, se você sentir o cheiro do talco para bebês da Johnson & Johnson, provavelmente aquelas associações primais da infância se reacenderão na sua memória. Ser alimentado por sua mãe. A sensação de estar nos braços dela. Associações desse tipo são os motivos que fazem com que algumas empresas usem o aroma de baunilha — encontrado no leite materno (e que, não por coincidência, é o aroma mais popular nos Estados Unidos) — em seus produtos. Por que você acha que a Coca-Cola decidiu lançar as linhas Coca-Cola Vanilla e a Black Cherry Vanilla Coke e não uma outra variedade qualquer de sabores que poderia ter sido criada? Na verdade, o aroma de baunilha é tão atraente que uma experiência realizada em uma loja de roupas no Noroeste do Pacífico mostrou que, quando "aromas femininos" como baunilha foram borrifados nas seções de roupas femininas, as vendas dobraram.[1]

De todos os sentidos, o olfato é o mais primitivo, o mais arraigado. Foi como nossos ancestrais desenvolveram o gosto por certos alimentos, era como procuravam parceiros e intuíam a presença de inimigos. Quando sentimos o cheiro de algo, os receptores de odores em nosso nariz traçam uma linha direta até o sistema límbico, que controla nossas emoções, nossas lembranças e nossa sensação de bem-estar. Por conseguinte, a reação dos nossos instintos é instantânea. Ou, como Pam Scholder Ellen, uma professora de marketing da Universidade Estadual da Geórgia, diz: "No caso de todos os outros sentidos, pensamos antes de reagir, mas, no caso do olfato, o cérebro reage antes de pensarmos."[2] E, embora variem de acordo com as diferentes culturas (os indianos, por exemplo, amam sândalo) e gerações (se você nasceu antes de 1930, provavelmente gosta do cheiro de grama recém-cortada e de cavalos, ao passo que, se você nasceu depois dessa data, fragrâncias sintéticas como a das massinhas Play-Doh e até mesmo das balas Sweet Tarts provavelmente o agradam), as preferências olfativas são todas moldadas, até certo ponto, por nossas associações inatas.[3]

Então, suponho que não seja surpresa alguma o fato de alguns publicitários espertos terem agregado fragrâncias aos produtos que estão vendendo. A principal loja de eletrônicos da Samsung em Nova York tem cheiro de melão maduro, uma leve fragrância peculiar que tende a relaxar os consumidores e colocá-los em um estado de espírito que remete a ilhas dos mares do sul — talvez assim eles não estranhem os preços. Thomas Pink, o alfaiate britânico, já foi conhecido por borrifar em suas lojas no Reino Unido o aroma de algodão recentemente lavado. A British Airways borrifa um perfume conhecido como Meadow Grass (Grama do Campo) no ar viciado de seus salões da classe executiva para tentar simular a sensação de estar ao ar livre, e não em um aeroporto malventilado. E tanto os frascos de manteiga de amendoim quanto os de Nescafé são cuidadosamente projetados para liberar o máximo de fragrância assim que as tampas são retiradas (no caso do Nescafé, isso não foi nada fácil, já que café liofilizado não tem lá muito cheiro).

Você já entrou num restaurante de fast-food com a intenção de pedir uma saudável e virtuosa salada, mas acabou pedindo um cheeseburger triplo com bacon e uma porção grande de batatas fritas? Foi o cheiro que o convenceu, certo? Aquele aroma sedutor, fresco, suculento, com um toque de carvão, que parecia entrar por todos os poros do seu corpo. Você não teve forças para resistir.

Mas aquele cheiro que você sentiu não vinha de uma grelha fumegante, e sim de uma lata de spray com um título do tipo RTX9338PJS — também conhecido como "fragrância de cheeseburger com bacon recém-frito" que o restaurante de fast-food estava espalhando em seus dutos de ventilação. Humm — fico com fome só de pensar!

Por falar em comida, você sabe por que a maioria dos supermercados modernos tem padarias tão perto da entrada da loja? A fragrância de pão que acabou de sair do forno não apenas indica frescor e evoca sensações poderosas de conforto e aconchego, como também os gerentes sabem que, quando o aroma de pão ou bolos atacam seu nariz, você sente fome — a ponto de até abandonar a lista de compras e começar a pegar alimentos que não havia planejado comprar. Instale uma padaria e as vendas de pão, manteiga e geleia quase certamente aumentarão. Na verdade, o cheiro de pão se revelou um exercício rentável para o aumento das vendas em muitas linhas de produtos. Alguns supermercados de países no norte da Europa nem se dão o trabalho de ter padarias de verdade; simplesmente espalham o cheiro de pão recém-assado diretamente nos corredores das lojas junto com os dutos de ventilação no teto.

Até mesmo o mais sutil dos aromas pode ter um efeito poderoso sobre os consumidores. Em um estudo realizado em 2005, dois pesquisadores colocaram um detergente com um aroma quase imperceptível de limão em um balde de água morna escondido atrás de uma parede. Metade dos voluntários se sentou sem saber na sala aromatizada; a outra metade se instalou em uma sala sem aroma nenhum. Depois, foi pedido aos participantes para anotar o que planejavam fazer naquele dia. Trinta e seis por cento dos participantes na sala aromatizada listaram uma atividade relacionada a limpeza, em comparação com apenas 11% das pessoas na sala sem aroma. Depois, os pesquisadores pediram que um novo grupo de 22 estudantes universitários preenchesse um questionário em uma sala ou outra. Depois, os estudantes foram levados para uma sala diferente, na qual ganharam um biscoito extremamente esfarelento. Câmeras ocultas observaram que os participantes que haviam se sentado na sala aromatizada fizeram menos sujeira — o mero cheiro do detergente tornou as pessoas na sala aromatizada mais meticulosas ao comer. Porém, ao serem questionados mais tarde, nenhum dos participantes tinha consciência da influência do aroma em seu comportamento.[4]

Em outro estudo realizado pelo dr. Alan Hirsch, pesquisadores colocaram dois pares iguais de tênis de corrida Nike em duas salas separadas, mas idênticas. Em uma delas, foi borrifado um aroma floral; na outra, não. Voluntários examinaram os tênis de corrida em cada sala, depois, preencheram questionários. Oitenta e quatro por cento dos participantes preferiram os tênis que haviam visto na sala com aroma floral. Além disso, atribuíram aos Nikes aromatizados um valor dez dólares mais alto do que o valor atribuído aos pares de tênis na sala sem aroma. Em uma experiência correlata realizada na Alemanha, a fragrância de grama recém-cortada foi borrifada em uma loja de material para reformas domésticas. A partir do momento em que as bombas começaram a lançar no ar o aroma de grama, 49% de todos os consumidores analisados antes e depois afirmaram que os funcionários pareciam conhecer melhor os produtos da loja.

E o *branding* sensorial está se tornando cada vez mais comum. Uma rede de lojas de conveniência da Califórnia experimentou difundir cheiro de café fresco nos seus estacionamentos para atrair os consumidores para dentro das lojas. A Procter & Gamble lançou recentemente lenços de papel Puffs com um leve aroma de Vicks, tentando jogar com as lembranças de infância dos consumidores, quando as mães tratavam seus resfriados com unguento Vicks.[5] A Americhip, uma grande empresa que consegue integrar tecnologias multissensoriais em anúncios de revistas e outros materiais impressos, produziu um anúncio para a Diet Pepsi que continha som, sabor e recursos *pop-up*. O reconhecimento que os leitores tinham em relação a esse anúncio em três frentes publicado na revista *People*? Cem por cento — pela primeira vez na história da revista. E, junto com a agência BRAND sense, os correios do Reino Unido começaram a desenvolver um programa para tornar suas malas-diretas mais intensas acrescentando aromas e sabores. Abra o folheto de uma fabricante de xampus e, por meio de "microcápsulas" — um processo que permite que a fragrância seja liberada quando você abre o envelope —, o aroma de xampu de repente o envolve como uma nuvem.

Como escapar desse ataque ao nosso nariz? Hospedando-se em um hotel? Desculpe, você anda sem sorte. Tanto o Hyatt Park Vendôme quanto as cadeias originais Hyatt borrifam sua fragrância característica nos quartos e saguões; sendo que os hotéis da cadeia Hyatt até espalham o cheiro dos bolinhos que são servidos em seus restaurantes.

É claro, experiências que envolvem fragrâncias podem dar errado. Em 2006, os anúncios que continham o aroma de biscoitos para uma campanha "Got Milk?" nos pontos de ônibus de São Francisco tiveram de ser recolhidos quando os passageiros reclamaram que o cheiro de chocolate e massa de biscoito estava causando reações alérgicas.[6]

E a Johnson & Johnson e a Play-Doh alteraram tanto suas fragrâncias que perderam as fórmulas originais. Na Europa, pelo menos, a Johnson & Johnson não pode mais recriar sua receita original exata (as fragrâncias dos concorrentes se parecem mais com o aroma original do talco para bebês Johnson & Johnson do que o aroma usado pela marca agora). E certa vez, quando entrei em contato com a Play-Doh para verificar se poderia obter o aroma original, a empresa me disse que nunca conseguiu recriar a fragrância original e só conseguiu reconstituir 80% da fórmula. Triste para nós, irritante para eles.

SEM DÚVIDA, O OLFATO ESTÁ INTIMAMENTE ligado à maneira como vivenciamos marcas ou produtos. O mesmo acontece com o tato? Em seu best-seller *Vamos às compras!*, o guru do varejo Paco Underhill escreve sobre a importância crucial de tocarmos nas roupas antes de comprá-las. Gostamos de alisar, tocar, acariciar e passar a mão nas roupas que estamos avaliando antes de nos decidirmos a comprá-las — é como uma espécie de teste sensorial. Por que você acha que aquelas mesas de roupas na Gap e na Banana Republic ocupam aquela posição? Para serem vistas? Claro que não. Elas estão esperando por seus dedos.

Ou vejamos o exemplo dos aparelhos eletrônicos. Em geral, gostamos de aparelhos pequenos, compactos e leves — ao estilo de James Bond. Irracionalmente, concluímos que quanto menor e mais leve a câmera digital ou o gravador, mais complexa e avançada deve ser a tecnologia ali contida. Muitas vezes isso é, até certo ponto, verdade. No entanto, algumas empresas argumentariam que, quanto mais pesado é um produto, melhor é a sua qualidade. Um controle remoto da Bang & Olufsen, por exemplo, teria metade do seu peso se não estivesse cheio de alumínio inútil, que só existe para fazer com que os clientes acreditem que estão segurando algo substancioso, resistente e merecedor do alto preço cobrado. Uma vez, para provar um argumento, realizei um teste. Dei a cem consumidores dois controles remotos Bang & Olufsen, um com alumínio dentro e o outro sem. A reação imediata dos consumidores com o controle remoto leve? "Está quebrado." Tudo por causa da falta de peso. Mesmo após descobrirem que o aparelho leve funcionava perfeitamente, os consumidores ainda achavam que a sua qualidade era inferior. E que tal a intrigante ideia da Duracell de projetar pilhas com a forma de projéteis (infelizmente, o produto nunca chegou às prateleiras)? Pesquisadores mostraram que todos os homens que haviam substituído as pilhas normais de suas lanternas por pilhas com formato de projétil (um processo que não era muito diferente de carregar uma arma) achavam que as novas pilhas eram mais potentes do que as tradicionais — embora o formato de projétil na verdade reduzisse substancialmente a força da pilha. O que eu queria comprovar? Não importa se você prefere seus aparelhos cheios de metal, leves como o ar ou pesados como munição: a sensação tátil de um produto desempenha um papel importante na decisão de comprá-lo ou não.

ALGUNS ANOS ATRÁS, FUI À ARÁBIA SAUDITA para realizar um trabalho de *branding* de ovos. Sim, você leu direito — ovos. Depois de aterrissar em Jidá, um carro me pegou e me levou para o meio do deserto numa temperatura de 51 graus Celsius. Duas horas e meia mais tarde, me vi no meio de uma das maiores granjas do mundo.

Meus anfitriões haviam me levado até o deserto para aconselhá-los sobre como criar ovos que fossem os mais atraentes visualmente. Pode parecer um pedido um pouco estranho até você perceber quantas variedades de ovos existem no mundo e até que ponto a aparência dos ovos tem a ver com qual tipo selecionamos. Por muito tempo ovos brancos foram populares entre os consumidores, que os associavam a limpeza, higiene e altos padrões de qualidade. Depois, gradualmente — ninguém sabe exatamente por quê —, o público mudou de opinião. De repente, o branco saiu de moda e deu lugar ao "vermelho". Parecia que os consumidores percebiam esses ovos como mais orgânicos, mais naturais. Mas isso ainda deixava os produtores com o problema sobre o que fazer com a parte interna dos ovos.

Uma regra geral da indústria de ovos é que, quanto mais a gema parecer amarela, mais agradará aos consumidores. É instintivo — provavelmente, uma adaptação evolutiva que evitou com que nossos ancestrais comessem ovos estragados. De qualquer forma, quando você adiciona pigmento à ração das galinhas, a cor migra para as células da gema do ovo; assim, os produtores de ovos podem intensificar a tonalidade das gemas dos ovos adicionando pigmento à ração. Meu trabalho era ajudar aquela empresa a criar o amarelo perfeito. Por razões éticas, não pude apoiar a ideia de adicionar pigmento artificial à ração; então, identifiquei uma mistura de vitaminas que podia ser adicionada à ração das galinhas e que produziria gemas em tons de amarelo-claro, amarelo-médio e amarelo-intenso, e todas as outras variantes intermediárias.

Então, da próxima vez que você se sentar para tomar café da manhã no bar e o garçom colocar dois ovos fritos com gemas lindamente amarelas na sua frente, bem, a culpa é minha.

O que quero dizer é que as cores podem ser muito poderosas para estabelecer uma conexão emocional entre nós e uma marca. Alguns anos atrás, realizei outro pequeno teste. Coloquei seiscentas mulheres numa sala e dei a cada uma delas uma caixa azul da Tiffany's. Não havia nada dentro, tenho de admitir, mas elas não sabiam. Quando as mulheres ganharam a caixa, medimos seus batimentos cardíacos e sua pressão arterial. Adivinhe. Os batimentos cardíacos subiram 20%, do nada. As mulheres não viram nenhuma logomarca, apenas a cor — com suas poderosas associações a noivado, casamento, bebês e fertilidade.

Talvez por esse mesmo motivo o cor-de-rosa, associado a luxo, sensualidade e feminilidade, seja usado para vender desde camisolas, *lingerie*, perfumes e sabonetes até medicamentos (está com o estômago atrapalhado? Pepto-Bismol neutralizará e acalmará sua indigestão), brinquedos e computadores. Isso mesmo; graças ao sucesso inesperado de um laptop rosa fabricado pela VTech, uma empresa de Hong Kong, profissionais de marketing da Toys "R" Us, da NFL, da NHL e da NASCAR estão começando a lançar versões cor-de-rosa de seus brinquedos e roupas esportivas mais populares.

As cores também atiçam nosso desejo de comprar de outras maneiras. Quando a Heinz lançou o ketchup EZ Squirt Blastin' Green, de cor verde, em 2001, os clientes compraram mais de dez milhões de frascos do produto nos primeiros sete meses de comercialização, o maior pico de vendas da história da marca — tudo por causa de uma simples mudança de cor. E, quando a Apple anunciou "It doesn't have to be beige" ("Ele não precisa ser bege") nas semanas antes do lançamento de seus iMacs com cores fortes, as pessoas começaram a encomendá-los enlouquecidamente (a inspiração para os iMacs e as cores infantis que os distinguiam foram literalmente balas; Steve Jobs disse mais tarde, com um certo tom de brincadeira, que queria que as pessoas "os lambessem"). Em um estudo sobre anúncios em listas telefônicas, pesquisadores descobriram que anúncios coloridos prendiam a atenção dos clientes por dois segundos ou mais, ao passo que imagens em preto e branco prendem nossa atenção por menos de um segundo — uma diferença crucial no mundo do varejo quando você pensa que, em média, a maioria dos produtos tem apenas um décimo de segundo para capturar a atenção antes de seguirmos em frente.

Um estudo realizado pela Seoul International Color Expo revelou que a cor chega a aumentar o reconhecimento de uma marca em até 80%. Quando tinham de estimar a importância da cor ao comprarem produtos, 84,7% do total dos participantes do estudo afirmavam que a cor representava mais da metade do critério utilizado em sua decisão a respeito da escolha de uma marca. Outros estudos mostraram que, quando as pessoas fazem um julgamento subconsciente sobre uma pessoa, um ambiente ou um produto em um intervalo de noventa segundos, entre 62% e 90% dessa avaliação se baseia apenas na cor.

Uma década atrás, quando eu estava trabalhando na BBDO, desenvolvi a campanha publicitária "Escolha uma nova cor" para o M&Ms na Europa. Naquela época, M&Ms azuis, rosa e brancos não existiam; então, perguntamos aos consumidores, por meio da internet, que cores eles mais gostariam que derretesse em sua boca (e não em suas mãos). No final, eles escolheram o azul e, é claro, quando a Mars lançou a nova cor, as vendas subiram.[7] Numa outra ocasião, a Mercedes-Benz pediu que minha equipe criasse um novo site para sua linha mais sofisticada de carros. Então, criamos um site irreverentemente colorido que os consumidores pareciam adorar (embora a empresa o odiasse tanto a ponto de tirá-lo do ar).

Embora a visão não seja tão poderosa quanto pensávamos para nos fazer comprar, boa parte do que percebemos todo dia está ligada a ela. Porém, na maior parte do tempo, mal nos damos conta disso. Considere um estudo fascinante de uma grande fabricante de alimentos francesa que estava testando dois protótipos diferentes de recipientes para uma maionese dietética direcionada para mulheres. Ambos os recipientes continham exatamente a mesma quantidade de maionese e exibiam exatamente a mesma etiqueta. A única diferença: o formato dos frascos. O primeiro era estreito no centro e mais largo nas partes superior e inferior. O segundo tinha um gargalo fino que descia e formava um fundo em forma de bulbo, como a garrafa de um gênio. Quando foi perguntado qual era o produto preferido, as participantes do estudo — todas mulheres preocupadas com suas dietas — selecionaram o primeiro frasco sem nem tê-lo testado. Por quê? Os pesquisadores concluíram que as participantes estavam associando o formato da garrafa com a imagem de seus próprios corpos. E que mulher quer se parecer com um Buda gordo, especialmente depois de ter acabado de espalhar maionese dietética em seu sanduíche de peru com alfafa?

E QUANTO AO SOM? BEM, ACREDITE se quiser, o *branding* sonoro existe desde os anos 1950. A General Electric, por exemplo, criou o seu conhecido som de três notas — o equivalente auditivo de uma logomarca — há décadas. A Kellogg's também gastou muitos anos cultivando um som característico, e chegou até a contratar um laboratório dinamarquês para desenvolver um som crocante único para que qualquer criança fosse capaz de ouvir a diferença entre comer um cereal matinal genérico e um cereal da Kellogg's. E, na Bahlsen, uma empresa alimentar alemã, uma equipe de desenvolvimento composta por 16 pesquisadores trabalha diligentemente para criar o crocante perfeito para seus biscoitos e salgadinhos. E eles não poupam meios para realizar seu trabalho. Os barulhos de mordida e mastigação são transmitidos por meio de alto-falantes para o laboratório de pesquisa, onde são continuamente analisados, intensificados e aperfeiçoados.

Mais recentemente, a Ford Motor Company criou um novo sistema de trancamento para o Taurus que faz um som peculiar, semelhante ao de um cofre, quando as portas se fecham.[8] Você sabia que o som de um frasco de café liofilizado ou de um tubo de batatas Pringles ao ser aberto é altamente manipulado para que você associe o produto à noção de frescor? E quanto ao tique-tique-tique do anel de controle do seu iPod ou o inconfundível som de sinos que é emitido quando você o liga ou desliga? E os sons associados ao McDonald's? Depois da algazarra de crianças gritando, os sons mais associados com a cadeia de fast-food são os bipes que a fritadeira emite quando as batatas estão prontas e o som rangente produzido pelo canudo ao penetrar a tampa plástica do copo de refrigerante. Você consegue ouvi-los agora? Aposto que sim, e isso faz com que você fique morrendo de vontade de tomar uma Coca-Cola gelada e comer uma porção grande de batatas fritas.

E, é claro, nada fica na cabeça como um jingle, por mais idiota e chato que seja. Que tal este aqui: "I'm a Pepper, he's a Pepper, she's a Pepper, we're a Pepper; wouldn't you like to be a Pepper, too?" ("Eu sou um Pepper, ele é um Pepper, ela é uma Pepper; você não gostaria de ser um Pepper também?" — Dr. Pepper). Ou o clássico: "Plop, plop, fizz, fizz — oh, what a relief it is" ("Plop, plop, fizz, fizz — ah, que alívio!" — Alka-Seltzer). Pense no jingle da ração para gatos Meow Mix. Quantas vezes aquele simples "Miau, miau, miau, miau, miau, miau, miau, miau, miau" ficou na sua cabeça?

Não está convencido do poder do som? Foi descoberto que música clássica pode reduzir o vandalismo, a ociosidade e até mesmo os crimes violentos em parques, estacionamentos de lojas de conveniência e metrôs no Canadá. Números publicados em 2006 mostraram que, quando música clássica era difundida por alto-falantes no metrô de Londres, os furtos caíam 33%; as agressões contra funcionários, 25%; e o vandalismo em trens e estações, 37%.[9]

O som pode até determinar se vamos escolher uma garrafa de *chardonnay* francês ou *riesling* alemão. Durante um período de duas semanas, dois pesquisadores da Universidade de Leicester transmitiram canções cheias de acordeões, que podiam facilmente ser reconhecidas como francesas, ou uma banda de metais alemã tipo Bierkeller pelos alto-falantes da seção de vinhos dentro de um grande supermercado.

Nos dias em que era transmitida música francesa, 77% dos consumidores compraram vinho francês, ao passo que, nos dias da música tipo Bierkeller, a grande maioria dos consumidores foi direto para a seção alemã da loja. Resumindo, os clientes tinham de três a quatro vezes mais probabilidade de selecionar uma garrafa de vinho associada à música que estava sendo tocada. Os clientes tinham consciência do que estavam escutando? Sem dúvida, mas só perifericamente. Mas apenas um dos 44 clientes que concordaram em responder algumas perguntas antes de sair da loja mencionou a música como uma das razões que o fez comprar aquele vinho.[10]

E o canal de televisão a cabo A&E recentemente comprovou o poder do som na publicidade montando um *outdoor* "sonoro" em Nova York para promover uma nova série televisiva cujo tema era a paranormalidade. Transmitidas de dois grandes alto-falantes, vozes etéreas sussurravam: "O que é isso?", "Quem está aí?" e "Não é a sua imaginação" para pedestres espantados.[11] Muito assustador, mas fez com que as pessoas falassem a respeito do programa — e o assistissem.

A questão é: o som desencadeia fortes associações e emoções, e pode exercer uma influência poderosa no nosso comportamento. O que nos leva à nossa segunda experiência sensorial: o que acontece quando uma marca é incrivelmente popular, mas está associada a um som característico que não emociona as pessoas?

Com aproximadamente quatrocentos milhões de telefones celulares em circulação e uma participação de mercado de 40% em 2007,[12] a Nokia é uma das marcas mais populares do mundo. Em virtude disso, a maioria de nós conhece o famoso e inconfundível toque característico dessa gigante das telecomunicações. Vinte por cento de todos os usuários de telefones Nokia mantêm o toque pré-definido pela empresa (aquele que desempenhou um papel muito importante no filme de grande sucesso *Simplesmente amor*), e, quando pedido, 41% de todos os usuários do Reino Unido conseguem se lembrar do toque ou até mesmo cantarolá-lo. Agora, leve em consideração todos os telefones que tocam nas ruas e ônibus repletos de gente, bem como na tevê, e acho que só isso já bastaria para deixar uma pessoa — ou melhor, oitenta milhões de usuários da Nokia — louca.

Quando os telefones da Nokia chegaram pela primeira vez ao mercado, o toque pré-definido da empresa se tornou instantaneamente popular, em grande parte porque era a primeira melodia que as pessoas reconheciam quando estavam começando a comprar telefones celulares (caso você esteja se perguntando, a melodia simples se baseia em *Gran Vals*, composta por Francisco Terrega no século XIX). Desde então, o toque ganhou uma qualidade quase viral. De fato, se você entrar no YouTube, poderá observar estranhos tocando a melodia da Nokia no piano, no violão ou em um teclado. Se você gosta de hip-hop, existe um remix *gangsta* do tema da Nokia. Um site afirma que o impacto da melodia da Nokia é tão grande que houve relatos de pássaros que a cantam nos céus de Londres.[13]

Seria de se imaginar que toda essa exposição poderia significar apenas coisas boas para a marca. Mas eu não tinha tanta certeza. Comecei a notar que, quando o meu telefone Nokia tocava durante o dia (se eu esquecia de desligá-lo), eu tinha uma sensação desagradável do tipo "*Que droga!*". Ficava com os nervos à flor da pele. Eu sabia que não era o único a ter essa sensação. Apesar de o toque da Nokia ser uma das melodias de maior sucesso de uma marca nos nossos tempos, algo me disse que havia algo fora do tom.

Decidi usar um estudo com imagens cerebrais para descobrir o que estava acontecendo. Então, a dra. Calvert e eu nos preparamos para determinar se um som característico — como o toque da Nokia — torna uma marca mais ou menos atraente. Essa última possibilidade também me intrigava. Existem ocasiões em que um som pode desvirtuar completamente a maneira como os compradores percebem uma marca? Como viríamos a descobrir, os resultados desse segundo estudo sobre o poder dos sentidos foram ainda mais chocantes do que os do primeiro.

Realizamos o estudo com quatro categorias diferentes de produtos: telefones, software, companhias aéreas e várias imagens de Londres. Depois, escolhemos para cada categoria sons a elas associados: o toque do celular Nokia, o "Dueto das flores" da British Airways (tirado de *Lakme*, a ópera de Leo Delibes), o som característico de ativação e de desativação do Microsoft Windows, bem como o hino religioso "Jerusalem", de William Blake (com sua letra que fala em "caminhar sobre o verde das montanhas da Inglaterra"). Depois, mostramos aos nossos voluntários dez imagens separadas por marca, desde um jato da British Airways parado no pátio de um aeroporto até um computador com as características bandeiras coloridas do Windows ou um telefone celular Nokia. Como referência, também exibimos imagens que não estavam relacionadas a sons característicos.

Depois, estava na hora de mostrar as melodias. Para as marcas genéricas, de referência, fizemos para nossos voluntários uma serenata de melodias que iam desde toques de telefone aleatórios até um trecho do "Concerto para dois violinos".

A dra. Calvert e eu mais uma vez nos sentamos na lotada sala de controle à medida que o estudo prosseguia. Primeiro, apresentamos marcas individualmente, em segmentos separados com dez minutos de duração, ou "sequências" durante as quais eram apresentados primeiro aos participantes só os sons, seguidos de imagens e sons simultaneamente. A dra. Calvert repetiu essa sequência cinco vezes ininterruptamente — pedindo aos participantes para assinalar suas preferências de imagens, sons ou combinações de sons e imagens (mais uma vez em uma escala de um a nove), usando os consoles enquanto rastreávamos seu cérebro para testar seus níveis de envolvimento emocional e sua codificação de memória para o que haviam visto e ouvido.

Os resultados revelaram que, assim como as combinações imagem-cheiro na primeira experiência, os sons e imagens, ao serem apresentados simultaneamente, eram percebidos de maneira mais favorável — e causavam mais impressão — do que quando eram apresentados sozinhos. Na maioria dos casos, quando os nossos voluntários viam as imagens e ouviam as melodias — depois as viam e ouviam juntas —, a dra. Calvert e eu presenciávamos atividade nas regiões cerebrais que assinalavam que eles: a) estavam prestando muita atenção; b) gostaram do que haviam visto e ouvido; c) achavam a combinação agradável; e d) lembrariam da marca, provavelmente também a longo prazo.

Assim, a dra. Calvert pôde concluir que a atenção dos consumidores aumenta quando eles ouvem uma melodia característica de um produto e, ao mesmo tempo, veem uma imagem ou logomarca altamente reconhecível. E não só isso, os consumidores se lembram mais do que estão vendo e ouvindo quando a melodia e a logomarca são exibidas simultaneamente em comparação com situações em que seus olhos e ouvidos estão trabalhando sozinhos. Em outras palavras, quando uma melodia ligada a uma marca e uma logomarca conhecida são reunidas, gostamos mais da marca *e* guardamos uma lembrança mais forte dela.

Pelo menos isso foi o que aconteceu com a maioria das nossas combinações de imagem e som, as imagens de Londres e "Jerusalem", bem como as imagens da British Airways e o "Dueto das flores". (No que diz respeito à Microsoft, nossos voluntários acharam a visão da marca menos positiva do que seu som característico, mas, quando foram apresentadas a logomarca e a melodia da Microsoft ao mesmo tempo, as preferências subiram ligeiramente.)

Em suma, os resultados dos testes com IRMf revelaram que três das nossas quatro marcas se saíram bem quando som e visão eram combinados de maneira congruente. Os voluntários ficaram emocionalmente engajados e também houve evidências de codificação de memória de longo prazo. Uma marca, porém, fracassou catastroficamente.

A Nokia. O toque de telefone mais conhecido e onipresente do planeta Terra não passou no teste do som. Claro, os participantes classificaram favoravelmente as imagens dos telefones da Nokia — e por que não o fariam? São ótimos telefones —, mas os resultados do IRMf mostraram que havia, em todos os níveis, uma reação emotiva negativa ao famoso toque da Nokia. Tanto que, na verdade, o simples fato de ouvir o som suprimia os sentimentos geralmente entusiásticos que o cérebro de nossos voluntários manifestava diante da visão apenas dos telefones da Nokia. E as próprias pontuações dadas pelos participantes indicaram uma preferência mais acentuada pelas imagens de referência desconexas do que pelas imagens dos telefones Nokia.

Resumindo, o toque da Nokia estava matando a marca.

Mas por quê? Para esclarecer um pouco mais essa questão, a dra. Calvert observou o córtex pré-frontal ventrolateral dos nossos voluntários — uma parte dos circuitos cerebrais que processa informações relacionadas a emoção. Curiosamente, ela descobriu que o som do telefone Nokia transformava a visão do telefone em um marcador somático negativo — em outras palavras, o toque evocava poderosas associações negativas que afastavam completamente as pessoas da marca.

Essa descoberta ficou na minha cabeça por muito tempo. Eu fiquei remoendo aquele resultado. Percebi que o problema com o toque da

Nokia era que as pessoas passaram a temê-lo, renegá-lo e até odiá-lo. O cérebro delas ligava aquele som demasiadamente conhecido a intrusão, interrupção e sentimentos de incômodo. Não o ligava aos devaneios de amor perdido de *Simplesmente amor*, mas a um jantar romântico ou a uma viagem de férias em um país tropical destruídos por um telefonema do chefe, a um filme ou uma aula de ioga arruinados pelo toque inconveniente de um telefone que não foi desligado. Ou seja, para muitas pessoas, o toque padrão da Nokia passou a ter o mesmo encanto lírico de um esgotamento nervoso.

Então, como você diz a uma das mais bem-sucedidas fabricantes de telefones celulares do mundo que seu motivo de orgulho e glória está atrapalhando, ou talvez até mesmo destruindo, a popularidade da marca?[14] Era como informar a John Lennon que os Beatles eram fantásticos, mas que Paul tinha de deixar o grupo. Os diretores da Nokia ficaram realmente chocados quando falei com eles — mas, depois que a surpresa passou, aceitaram com muita distinção as revelações da nossa experiência. O tempo dirá se eles farão algo com os nossos resultados.

Então, qual é o futuro do *branding* sensorial? Finja que estamos em 2030. Estamos naquele mesmo "cruzamento do mundo", Times Square. Mas, em vez de *outdoors* e letreiros piscantes, levantamos nossa cabeça para ver... nada. Nenhum modelo de sete metros de altura. Nenhum néon brilhante. Ao mesmo tempo, a calçada está repleta de cheiros e sons. Uma lufada de limão sai de uma loja que vende um novo tênis que você não pode deixar de ter. Uma rajada de laranja madura sai de uma grande loja de artigos esportivos. Um perfume pegajoso sai das portas de um hotel recém-inaugurado. É Vivaldi o que estamos escutando? Sonic Youth? Canto gregoriano?

O que estou descrevendo é um sutil ataque sensorial que não se baseia exclusivamente na visão, mas que atiça nossas narinas, ouvidos e as pontas de nossos dedos. Graças à ressonância magnética funcional, sabemos agora em que medida os sentidos estão entrelaçados; que uma fragrância pode nos fazer ver, que um som pode nos dar água na boca e que uma imagem pode nos ajudar a imaginar sons, gostos e sensações táteis — quer dizer, se as informações sensoriais transmitidas estiverem bem acopladas. Para muitos anunciantes, essa descoberta será uma revelação;

para os consumidores, legitimará uma estranha mistura dos sentidos que sempre soubemos que existia, mas que não tínhamos sido capazes de identificar até então. O mundo do varejo amanhã? Terá o cheiro característico de melão, capim-limão, tangerina. Não será em preto e branco, mas em cores fortes. Vai gorjear, rodopiar, gritar, envolver e fazer com que você fique cantarolando. E esse ataque aos seus sentidos será mais eficaz do que você jamais imaginou para conquistar sua mente, sua lealdade e seus dólares.

Veja por exemplo o Alli, o tratamento para perda de peso da Glaxo-SmithKline vendido sem receita nas farmácias. Além de ter cores chamativas (vermelho, azul, amarelo e verde sobre um fundo branco), seu porta-comprimidos tem um formato singular e uma textura suave que lembra uma bolha — e tudo isso serve para evocar associações de colaboração e parceria, de uma jornada na qual você e o produto entram juntos, de mãos dadas. Lembre-se, a estrada para a emoção passa por nossas experiências sensoriais e, como mostramos neste capítulo, a emoção é uma das forças mais poderosas no caminho do que compramos.

Até aqui, vimos muitas maneiras como o neuromarketing pode esclarecer o que compramos e por que o compramos. Mas será que o neuromarketing pode chegar a prever o sucesso ou fracasso de um produto? Nossa próxima experiência de rastreamento cerebral testou os poderes de previsão do neuromarketing usando o piloto de um *game-show* na tevê que centenas de voluntários afirmaram odiar — mas que, secretamente, adoraram.

9
E A RESPOSTA É...
Neuromarketing e previsão do futuro

De acordo com o burburinho antes do lançamento, tratava-se de um tiro certeiro, uma daquelas invenções que não têm como dar errado e que só aparecem uma vez na vida. Sites exibiam boatos provocantes, palpites extravagantes e infinitas conjecturas. O produto revolucionaria o transporte. Tornaria os carros obsoletos. Tiraria das ruas e calçadas bicicletas e motos. O CEO da Apple, Steve Jobs, chegou a dizer que as cidades do futuro seriam construídas para acomodá-lo. O capitalista de risco John Doerr previa um bilhão de dólares em vendas para o possível lançamento de produto mais bem-sucedido da história. Preparando-se para a demanda antecipada dessa *coisa* (que ainda não tinha um nome), uma fábrica da Nova Inglaterra se preparou para montar aproximadamente quarenta mil unidades por mês.

No início de dezembro de 2001, o Segway PT (abreviatura de transportador pessoal em inglês) foi lançado. Você se lembra? Parecia um cortador de grama que girava na vertical, com rodas grandes demais e uma pequena plataforma sobre a qual você ficava de pé, algo que você poderia usar para se locomover se fosse um clone biônico vivendo em 2375. Quando os três primeiros Segways foram leiloados, consumidores os compraram por mais de cem mil dólares cada.

Mas, apesar de todo o alarde, menos de dois anos mais tarde, apenas seis mil Segways haviam sido vendidos. E, quando em 2006 a Segway lançou o novo Gen II PT, as vendas foram ainda menores. Não obstante a novidade da engenhoca, ao preço de cinco ou seis mil dólares cada (dependendo do modelo), poucas pessoas aparentemente estavam mesmo dispostas a ter um. A previsão era a de que aquele seria um dos produtos mais bem-sucedidos e revolucionários da história, mas, sob todos os aspectos, o Segway se revelou uma decepção. E dificilmente está sozinho nessa categoria.

Como mencionei no Capítulo 1, 80% de todos os lançamentos de produto fracassam nos primeiros três meses. De refrigerantes a toalhas de papel, de chocolates a secadores de cabelos, a lista de produtos fracassados é como uma relação das pessoas amadas que já se foram.

No Reino Unido, houve uma versão semelhante da história do Segway. Será que o Sinclair CS, uma minimotocicleta de um só lugar, movida a bateria, branca como a neve e que parecia o veículo usado por Kato no seriado *Besouro Verde*, era o futuro do transporte nas Ilhas Britânicas? Bem, custando aproximadamente quatrocentas libras, alcançando velocidades que não superavam 40km/h (embora você precisasse pedalar se estivesse numa subida) e permitindo que crianças de 14 anos dirigissem sem habilitação, o Sinclair, depois de vários meses (e muita chacota), teve sua produção interrompida, com apenas 1.700 unidades vendidas.[1]

Até mesmo a Coca-Cola teve alguns produtos que fracassaram constrangedoramente. Lembra-se da New Coke, em 1985? Embora tivesse se saído bem nas pesquisas com consumidores, o refrigerante, depois de chegar às lojas com grande estardalhaço, encalhou, obrigando a empresa a retirá-lo de circulação. Caso encerrado? Não. Em 2006, a empresa anunciou que estava lançando uma nova linha do seu famoso refrigerante contendo pequenas quantidades de café, chamada Coca-Cola BlaK. Depois de dois anos sendo desenvolvido, o produto era enaltecido pelos executivos da Coca-Cola como "o gosto refrescante de uma Coca-Cola gelada terminando com uma saborosa essência de café". "Só a Coca-Cola poderia criar essa combinação peculiar de sabores",[2] disse Katie Bayne, vice-presidente sênior da Coca-Cola na América do Norte. Mas os consumidores ficaram indiferentes, as vendas foram irrisórias e, cerca de um ano mais tarde, a Coca-Cola retirou o produto de circulação. Foi bastante semelhante ao momento em que, 15 anos mais cedo, depois de dois anos de vendas decepcionantes, a empresa Adolph Coors parou de fabricar sua "água mineral com marca de cerveja", a Coors Rocky Mountain Sparkling Water,[3] ou quando a Crystal Pepsi fracassou em 1993, depois de apenas um ano nas prateleiras dos supermercados.

Alguns cigarros tiveram um destino semelhante. Em 1998, a R.J. Reynolds investiu aproximadamente US$325 milhões para criar um cigarro sem fumaça conhecido como "Premier". Infelizmente, os consumidores não gostaram muito do sabor e o produto não pegou. A revista *Reporter* disse mais tarde: "Para inalar o Premier, era preciso ter pulmões com a força de um aspirador de pó; para acendê-lo, era necessário um maçarico e, se alguém conseguia acendê-lo com um fósforo, a reação do enxofre produzia um cheiro e um sabor que deixavam os usuários fedendo."[4]

E *E.T. — O extraterrestre* pode ter sido um dos filmes de maior bilheteria de todos os tempos, mas seu sucesso certamente não foi transferido para o *videogame E.T.* para Atari 2600. Segundo um site, "muitas pessoas acham que E.T. é o pior *videogame* já produzido". Reza a lenda que, para se livrar de todas as cópias encalhadas, o presidente da Atari teve de mandar enterrá-las em um depósito de lixo no Novo México.[5]

Então, sejam os seus produtos refrigerantes, cigarros, *videogames* ou qualquer outro item existente, as empresas têm uma péssima capacidade de prever como os consumidores vão reagir a eles. Como tenho dito ao longo deste livro, já que a opinião que *expressamos* sobre um produto nunca pode realmente servir de previsão para nosso comportamento, as pesquisas de mercado são, em grande parte, pouco confiáveis e, às vezes, podem iludir uma empresa ou até mesmo destruir completamente um produto. Por exemplo, a Ford Motor Company uma vez perguntou aos consumidores quais recursos eles queriam ter em seus carros. Os consumidores responderam, o "Carro Americano" supostamente ideal foi construído — e foi um fracasso.[6]

Então, o neuromarketing é a resposta para as preces das empresas? Será que essa nova ciência, embora ainda esteja engatinhando, pode ser o Santo Graal — aquilo que os anunciantes, publicitários e executivos estiveram esperando a vida toda? Melhor ainda, será que o neuromarketing pode ajudar as empresas a criar produtos que realmente *agradem* a nós, consumidores? E, se for assim, será que o neuromarketing pode obter sucesso nos campos em que as pesquisas de mercado fracassaram de forma retumbante? Será que essa nova ciência pode prever de forma confiável e científica o fracasso de uma marca ou de um produto?

Estava na hora de descobrir analisando um dos *game-shows* mais barulhentos que eu jamais havia visto na tevê. Sente-se — está na hora do *Quizmania*.

SERÁ QUE OS TELESPECTADORES conseguiriam adivinhar o nome do cantor?

Ele poderia ser qualquer um. Sua identidade estava escondida atrás de uma faixa azul no meio do palco alucinógeno de *Quizmania*, que incluía um *jukebox*, uma prancha de surfe, algumas palmeiras artificiais, uma máquina de chicletes, um papagaio numa gaiola e um monte de sorvetes gigantes de plástico. No meio das sirenes, do rufar de tambores e das fanfarras aleatórias que perfuravam os ouvidos dos espectadores, no fundo da tela, as letras de um nome giravam, uma a uma, enquanto os telespectadores de todo o Reino Unido eram convidados a ligar e adivinhar, por 75 *pence,* quem estava atrás da faixa. Para mim, parecia óbvio que o *Quizmania* era uma mistura anfetaminada de *Qual é a música?* e o jogo da forca. E ninguém parecia mais animado do que a apresentadora loura. Se os participantes erravam a resposta, ela batia seu gigantesco telefone azul sem nem dizer "Valeu a tentativa".

Olá, Maureen. Não, sinto muito, meu amor, não é o Tom Jones. Bum!

Só nos restam cinquenta segundos! Não, querido, não é o Elton John. Bum!

Oi, Nathan! Sinto muito, não é o Cliff Richard! Bum! *Pessoal — pense em um cantor muito famoso! Por dez mil libras! Ele pode ser britânico! Pode ser americano!* Bum! Bum! Bum!

Em meados de dezembro de 2006, eu estava sentado dentro de uma sala totalmente escura assistindo ao piloto de um jogo televisivo produzido pela gigante da mídia FremantleMedia — a mesma empresa que também produz o *American Idol*. Descrito no site da empresa como "o jogo televisivo mais divertido do Reino Unido", *Quizmania* ainda não havia estreado nos Estados Unidos, e não havia garantias de que fosse estrear um dia. Foi aí que entrei em cena — para descobrir se o cérebro dos espectadores podia prever de maneira confiável se aquele novo programa, que ainda não fora transmitido, seria um sucesso ou um desastre junto aos telespectadores americanos.

Uma hora mais cedo, nossos participantes, quatro grupos de cinquenta homens e mulheres cuidadosamente selecionados para representar a faixa demográfica média da pesquisa, entraram no estúdio. Depois de uma breve sessão de perguntas e respostas com um dos membros da nossa equipe, os voluntários colocaram suas toucas de TEE com eletrodos posicionados sobre partes específicas de seu cérebro.

As luzes foram apagadas e o *Quizmania* começou.

O *Quizmania* não era o único programa de tevê que os duzentos voluntários veriam e testariam naquela tarde. Para garantir um resultado preciso, precisávamos de referências adicionais, ou parâmetros de medição, para validar os resultados, e encontramos a solução sob a forma de dois outros programas de tevê, um "fracasso comprovado" e um "sucesso comprovado". Metade dos nossos voluntários assistiria ao fracasso, um *reality show* de transformação da aparência física chamado *The Swan* (*O cisne*, em tradução livre). No programa, duas mulheres de aparência perfeitamente comum são consideradas "patinhos feios" e, depois, transformadas, por meio de cirurgias plásticas, dieta, exercício, revestimento dentário, maquiagem, cabeleireiro e alta-costura em... "cisnes". A essa altura, os telespectadores ligam e votam para promover sua concorrente favorita à próxima rodada.

Além do *Quizmania,* os outros cem voluntários assistiriam a um programa de televisão popular e com altos níveis de audiência chamado *How Clean Is Your House?* (*Sua casa é limpa?*, em tradução livre). Nesse *reality show* de meia hora produzido na Grã-Bretanha, duas mulheres de meia-idade muito severas aparecem na porta de uma casa ou apartamento em desordem, expressam seu ultraje diante daquelas condições e, depois, a transformam em uma casa dos sonhos. Não sabemos muito bem por que, mas *How Clean Is Your House?* fez muito sucesso dentre os telespectadores, ao contrário de *The Swan.*

Muito dinheiro!, gritava a loura maníaca que apresentava *Quizmania* à medida que o programa avançava. *Dinheiro que pode mudar sua vida! Pessoal, o prêmio agora é de sessenta mil libras!,* ela urrava até um participante finalmente acertar. (Para quem ficou curioso, o cantor era Iggy Pop.)

Vinte e quatro horas antes, demos a cada voluntário um DVD dos programas em questão e pedimos que assistissem aos dois programas, a fim de minimizar o efeito de "novidade" que muitos de nós sentem ao assistir a alguma coisa pela primeira vez. Então, enquanto as luzes da sala eram apagadas, o professor Silberstein e seus colegas ficavam de olho em uma série de grandes telas de computador em um laboratório adjacente. Os voluntários teriam duas oportunidades de expressar o que tinham em mente. Primeiro, cada um preencheria um questionário sobre o que tinha achado dos programas que acabara de ver. O próximo passo seria espiar dentro de seus cérebros. Quando o estudo acabasse, os pesquisadores comparariam os resultados do teste com o TEE e as respostas aos questionários para ver se combinavam.

ABELHUDAS E CÁUSTICAS, KIM E AGGIE, duas bisbilhoteiras britânicas de meia-idade que se autodenominam Rainhas da Limpeza, entraram num sobrado em Nova York. A expressão das duas era eloquente. "Estamos totalmente enojadas", uma delas observou, olhando para a esqualidez à sua frente.

Janet e Kathy, irmãs em idade universitária, moravam sozinhas. Mais cedo, haviam anunciado que suas vocações eram "baladas" e "compras". E não era brincadeira. Havia roupas e sapatos espalhados por toda parte, da sala de estar até o quarto. Mal dava para enxergar os vagos contornos dos móveis. A cozinha, com uma geladeira rançosa e um fogão engordurado, não melhorava a situação. No banheiro, a parte do teto em cima do chuveiro estava descascando e tinha tantas manchas de mofo preto-arroxeado que parecia um céu noturno sem estrelas. Uma das Rainhas da Limpeza até começou a se coçar.

"Mas nós não *sabemos* como limpar", se lamentou uma das irmãs.

Duas britânicas espertas e enojadas contra duas irmãs mimadas e preguiçosas. No meio de algumas briguinhas de irmãs que pareciam ensaiadas ("Isso é *dela*!", "Não, é *dela*!"), saíram os sacos de lixo de tamanho industrial e os panos de limpeza e entraram os analistas profissionais da qualidade do ar, que, depois de descobrirem que colônias de fungos *aspergillus* e *penicillium* haviam se instalado no teto do banheiro, recomendaram que os azulejos de todo o box do chuveiro fossem trocados.

Rapidamente, a pocilga das irmãs se transformou em um palácio — com uma aparência quase zen, pontuado aqui e ali pela luz bruxuleante de grandes velas brancas. Transformação terminada. Seguida de abraços, incredulidade e muitos "Ai, meu Deus!" e "Muito obrigada!".

A nossa pergunta: será que os espectadores prefeririam esse programa ao *Quizmania*? E como ele se sairia em comparação com o *The Swan*?

O professor Silberstein ligou uma semana mais tarde para apresentar os resultados.

"POR FAVOR, MARQUE A OPÇÃO que melhor descreve como você se sente a respeito do programa a que assistiu."

Não perderia um episódio.
Preferiria esse a outros programas se estivesse em casa.
Assistiria se não houvesse nada melhor passando.
Só assistiria se estivesse com meu/minha companheiro/a ou com um(a) amigo(a) que quisesse vê-lo.
Não assistiria nunca.

ESSE ERA O QUESTIONÁRIO QUE OS DUZENTOS participantes receberam no nosso estudo. Primeiro, fizemos essa pergunta a respeito dos dois programas de referência, *The Swan* e *How Clean Is Your House?*. Como eu já suspeitava, as respostas no papel não refletiram exatamente a posição de sucesso ou fracasso que sabíamos que eram verdadeiras para cada programa — mais provas de que o que dizemos sentir em relação a algo raramente combina com o nosso comportamento. Na verdade, embora *How Clean Is Your House?* tivesse sido um enorme sucesso e *The Swan* tivesse sido um fracasso, ambos estavam quase emparelhados quando nossos voluntários *declaravam* a probabilidade de assistir a esses programas. Porém, os resultados dos testes com TEEs diziam outra coisa: mostravam que os nossos voluntários estavam muito mais envolvidos emocionalmente quando assistiram a *How Clean Is Your House?* do que quando assistiram a *The Swan*; em outras palavras, as respostas cerebrais eram coerentes com a popularidade real desses programas, ao contrário das respostas dos questionários.

Então, qual foi o veredicto em relação a *Quizmania*? Em seus questionários, os espectadores disseram que o programa-piloto da Fremantle era o que eles tinham *menor* propensão a assistir — bem menos dos que os outros dois programas. Com base em suas respostas por escrito, parecia que os nossos voluntários tinham detestado *Quizmania*. Os resultados do questionário foram quase unânimes. Os nossos espectadores disseram que preferiam assistir a qualquer outra coisa.

Em seguida, analisamos os resultados do TEE. E os cérebros daqueles mesmos homens e mulheres contaram uma história bem diferente. Durante *How Clean Is Your House?*, o envolvimento dos telespectadores (medido na parte frontal do cérebro) foi "consistentemente alto"; durante *The Swan*, por outro lado, o engajamento dos telespectadores foi considerado "de baixo a moderado". Nenhuma surpresa aqui. O cérebro dos voluntários havia simplesmente confirmado o que já sabíamos: *How Clean Is Your House?* era comprovadamente um sucesso de público, e *The Swan*, como eu sabia, não era.

Mas, apesar das respostas unanimemente desfavoráveis, o cérebro dos nossos duzentos voluntários havia *gostado* do *Quizmania*. Os participantes podem ter dito que odiavam as palmeiras falsas, os sorvetes gigantes, a apresentadora maluca e aquele ambiente de jogo da forca alucinado, mas o cérebro de cada um deles indicava outra coisa.

As imagens do TEE mostravam que, embora os nossos voluntários classificassem o programa-piloto de *Quizmania* como o programa que eles tinham *menor* propensão a assistir, o cérebro deles estava na verdade *mais* engajado durante o *Quizmania* do que durante o *The Swan*, um programa do qual haviam gostado, segundo o que disseram. Para mim, isso prova mais uma vez que o que as pessoas dizem e o que elas realmente sentem são coisas bastante diferentes.

Resumindo, com base na reação cerebral dos espectadores aos três programas que testamos naquele dia em Los Angeles, *The Swan* era o menos cativante; *How Clean Is Your House?*, o mais cativante, e *Quizmania* ficava em algum lugar entre os dois. Portanto, concluímos (com 99% de certeza estatística) que *Quizmania* — se e quando fosse transmitido — faria mais sucesso do que *The Swan,* mas menos sucesso do que *How Clean Is Your House?*.

De fato, era o que acontecia no Reino Unido. Em outras palavras, as imagens cerebrais previram com precisão o desempenho do programa no Reino Unido. E, embora o programa seja atualmente transmitido na Austrália, no Brasil e em uma longa lista de outros países, a Fremantle-Media está postergando o lançamento do programa nos Estados Unidos. Com base nos resultados dos testes, eles estão convencidos de que o programa, de fato, teria exatamente o desempenho indicado pelas nossas imagens cerebrais. Mas será que vale a pena?

O que faz com que eu me pergunte: o que poderia ter acontecido se o neuromarketing já existisse uma ou duas décadas atrás? Será que a New Coke teria sequer aparecido nas prateleiras dos supermercados? Será que o cigarro sem fumaça Premium teria saído do laboratório? Será que um único Segway ou Sinclair teria circulado diante de nossas janelas?

Acho que a resposta é não. Em vez disso, as empresas teriam sido capazes de prever que esses produtos fracassariam, teriam interrompido a produção e, desta maneira, economizado centenas de milhões de dólares. O que nos leva à próxima pergunta: agora que as empresas têm essa poderosa ferramenta a seu dispor, como vão usá-la? Prevejo que, em breve, um número cada vez maior de empresas (pelo menos as que puderem arcar com os custos) trocará seus lápis por toucas de TEE. A pesquisa de mercado tradicional — questionários, levantamentos, grupos focais e assim por diante — desempenhará gradualmente um papel cada vez menor e o neuromarketing se tornará a principal ferramenta que as empresas usarão para prever o sucesso ou o fracasso de seus produtos. E mais, prevejo que, à medida que for se tornando mais popular e mais requisitado, o neuromarketing ficará mais barato, fácil e acessível do que nunca para as empresas. E, por sua vez, se tornará ainda mais popular e difundido.

Você tem algum interesse em sexo? Isso chamou a sua atenção, não foi? Estamos prestes a investigar se o sexo na publicidade consegue atrair nosso interesse por um produto ou se, na verdade, é um tiro que sai pela culatra. Da Calvin Klein a uma campanha publicitária que fará você estremecer (assim espero), estamos prestes a testar uma questão muito antiga: sexo vende?

10
VAMOS PASSAR A NOITE JUNTOS
Sexo na publicidade

Uma jovem está esparramada em cima do capô de um Ford Mustang 1966 novo. À sua volta, delicadas pétalas formam o número seis (em referência tanto ao ano quanto ao motor de seis cilindros do carro). O slogan embaixo? *Six and the Single Girl* (*Seis e a garota solteira*).

Uma comissária de bordo da National Airlines lança um olhar convidativo para os leitores de uma revista sofisticada por volta de 1971. O slogan diz: "I'm Cherry. Fly me" ("Meu nome é Cherry. Voe comigo"). Um ano mais tarde, um aumento de 23% no número de passageiros faz com que a National Airlines lance uma série de novos anúncios nos quais várias comissárias de bordo bonitas prometem: "I'm going to fly you like you've never flown before" ("Vou fazer você voar como nunca voou antes").

O ano era 1977. Uma sedutora loura escandinava mordiscava sugestivamente um colar de pérolas antes de ronronar: "For men, nothing takes it off like Noxzema medicated shave" ("Para os homens, nada ajuda a tirar tudo como o creme de barbear Noxzema medicinal"). Enquanto o homem da sua vida fazia a barba vigorosamente, a loura acrescentava: "Take it off. Take it *all* off" ("Tire. Tire *tudinho*").

Décadas atrás, esses anúncios escandalizaram muitos americanos. "O que está acontecendo com a nossa cultura?", as pessoas se perguntavam. "Será que a publicidade está indo longe demais? Estamos sendo corrompidos pelo sexo?"

Mas os anúncios de televisão e impressos dos anos 1960 e 1970 parecem recatados quando comparados aos de hoje. Afinal de contas, tenha em mente que a mulher empoleirada em cima do Mustang, a modelo da Noxzema e a comissária de bordo estavam totalmente vestidas — até o homem que estava se barbeando usava uma camiseta. Compare isso com os corpos quase nus que nos vendem de tudo hoje em dia, desde perfumes até bebidas alcoólicas ou roupas de baixo. Analise, por exemplo, um anúncio que vi recentemente, no qual havia um homem quase nu com as mãos algemadas atrás do corpo e a boca amordaçada enquanto um par de pernas longas, bem torneadas, sedutoras e bonitas de uma *dominatrix* aparecia atrás, tentando-o com um... aspirador de pó alemão. Ou outro anúncio no qual também aparecia um homem quase nu, com a cueca caindo virilha abaixo e uma mulher acariciando seu peito, para vender, imagine só, papel higiênico Renova. Ou o anúncio no qual aparecia a silhueta do banco do motorista de um Volvo com o freio de mão puxado bem para cima — exatamente como um pênis ereto — em cima do seguinte slogan: "We're just as excited as you are" ("Estamos tão excitados quanto você").[1]

Em 2007, os anúncios do novo perfume do estilista Tom Ford mostravam uma mulher nua apertando o frasco entre suas pernas totalmente depiladas e levemente abertas ou entre seus seios nus. No mesmo ano, uma empresa alemã chamada Vivaeros, que afirmava ter engarrafado o cheiro do sexo sob forma de um "atraente aroma vaginal", lançou um novo perfume chamado Vulva (vou deixar que você imagine o design da logomarca) e começou a vendê-lo como uma fragrância masculina.[2]

Ou pense nos anúncios de duas novas fragrâncias criadas recentemente pelo magnata do rap P. Diddy e pela cantora Mariah Carey. A colônia de P. Diddy, chamada Unforgivable Woman (Mulher Imperdoável), foi lançada no Reino Unido com um filme promocional no qual o rapper, totalmente vestido, e uma supermodelo seminua apareciam manifestando um comportamento, digamos, íntimo (o anúncio foi rejeitado nos Estados Unidos por seu conteúdo sugestivo). Mariah Carey escolheu uma abordagem mais sensual: os anúncios de trinta segundos do M mostravam Mariah, nua, cantando e se acariciando sob o orvalho de uma floresta tropical.[3]

Segundo um livro publicado em 2005 intitulado *Sex in Advertising: Perspectives on the Erotic Appeal*, cerca de um quinto de toda a publicidade atual usa conteúdo abertamente sexual para vender seus produtos.[4] Se você precisa de provas, basta dar uma olhada no último número da *Vogue*, visitar a loja mais próxima da American Apparel ou ficar boquiaberto com os últimos *outdoors* de sete metros da Calvin Klein em Times Square.

Ou dê uma passada na Abercrombie & Fitch. Quando eu visito as lojas dessa cadeia, meus olhos são inevitavelmente atraídos para os manequins nas vitrines. É difícil *não* olhar — os manequins femininos têm seios excepcionalmente grandes e os masculinos são anormalmente bem dotados. E, se há jeans masculinos ou blusas femininas nas vitrines, geralmente há um rasgo estrategicamente posicionado que permite uma espiadinha em uma cueca samba-canção quadriculada aqui ou na alça de um sutiã de renda ali.

Mas não são apenas as empresas de roupas e perfumes que usam a insinuação evidente do sexo para vender seus produtos. Um *outdoor* que promove o Hard Rock Casino em Las Vegas mostra a parte inferior de um biquíni abaixada até os tornozelos de uma mulher. O slogan: *Get ready to buck all night* (*Prepare-se para jogar a noite toda*).[5] E um certo comercial da câmera Nikon Coolpix com Kate Moss seminua e o slogan *See Kate Like You've Never Seen Her Before* (*Veja Kate como você nunca viu antes*)? Nem mesmo restaurantes familiares estão isentos. Em uma brincadeira astuta, mas obscena, com os comerciais de adesivos de nicotina, a Nando's, uma cadeia australiana de restaurantes especializados em aves, mostra uma mãe nua rebolando, na luta contra seu "desejo" de comer galinha, mas que, incapaz de colocar o adesivo em seu traseiro nu e rebolativo, tem de recorrer à goma de mascar sabor galinha do Nando's.

E não vamos nos esquecer das ousadas campanhas publicitárias da Virgin Atlantic. Desde 2000, a British Airways — arquirrival da Virgin — patrocina a London Eye, a descomunal roda-gigante que fica à margem do Tâmisa. No entanto, quando a London Eye teve problemas de construção que atrasaram a sua inauguração em mais de um ano, o fundador da Virgin, Richard Branson, não perdeu essa oportunidade. Contratou um dirigível para sobrevoar a colossal roda-gigante com a seguinte mensagem: *"British Airways can't get it up"* (*"A British Airways não consegue fazer a coisa subir"*). (Não houve nenhum processo judicial depois, porque a logomarca da Virgin não aparecia; mas os consumidores reconheceram imediatamente o tom da companhia aérea rival.) O anúncio da Virgin para o sistema de entretenimento a bordo? *Nine inches of pure pleasure* (Nove polegadas de puro prazer).

Resumindo, o sexo está por toda parte na publicidade — não apenas em anúncios de televisão e revistas, em pontos de venda e na internet, mas na lateral do ônibus que você toma para ir trabalhar, nos corredores da delicatéssen local, até mesmo no espaço aéreo em cima da sua cabeça. Mas será que sexo necessariamente vende? Até que ponto modelos sumariamente vestidas, embalagens sexualmente sugestivas ou garotos-propaganda incrivelmente atraentes são eficazes para nos convencer a comprar um produto e não outro?

Em uma experiência realizada em 2007, Ellie Parker e Adrian Furnham, do University College em Londres, se propuseram a estudar até que ponto nos lembramos de comerciais sexualmente sugestivos. Dividiram sessenta jovens adultos em quatro grupos. Dois grupos assistiram a um episódio de *Sex and the City* no qual as personagens discutem se são ou não boas de cama; os outros dois grupos assistiram a um episódio da comédia familiar *Malcolm in the Middle*, decididamente não erótica. Durante os intervalos, um segmento de cada grupo assistiu a uma série de anúncios sexualmente sugestivos de produtos como xampu, cerveja e perfume, enquanto os outros assistiam a anúncios sem nenhum conteúdo sexual. Depois que o estudo chegou ao fim, a pergunta era: Do que você se lembra? Acontece que os participantes que assistiram a anúncios sexualmente sugestivos não tiveram mais facilidade para se lembrar das marcas e dos produtos vistos do que os participantes que assistiram a anúncios não eróticos.

E mais, o grupo que assistiu a *Sex and the City* na verdade se lembrava *menos* dos anúncios vistos do que o grupo que assistiu a *Malcolm in the Middle* — parece que a lembrança de comerciais sexualmente explícitos havia sido obscurecida pelo conteúdo sexual do próprio programa. Os pesquisadores concluíram que, aparentemente, "o sexo não vende nada além de si mesmo".[6]

Outras pesquisas realizadas por uma empresa com sede na Nova Inglaterra chamada MediaAnalyzer Software & Research descobriu que, em alguns casos, os estímulos sexuais na verdade interferem na eficácia de um anúncio. Eles mostraram anúncios impressos com sugestividade variável a quatrocentos participantes, indo de ousados anúncios de cigarros a insípidos comerciais de cartões de crédito. Depois os instruíram a usar o mouse de seus computadores para indicar para que ponto exato da página o seu olhar se dirigia instintivamente. Não é de surpreender que os homens tenham gastado muito tempo passando seus mouses sobre os seios das modelos. Mas, ao fazer isso, muitos deles contornavam o nome e a logomarca do produto, e o resto do texto. Em outras palavras, o material sexualmente sugestivo os deixava cegos em relação a todas as outras informações no anúncio — até mesmo o próprio nome do produto.

Na verdade, o resultado foi que apenas 9,8% dos homens que haviam visto os anúncios com conteúdo sexual eram capazes de se lembrar da marca ou do produto em questão corretamente, em comparação com quase 20% dos homens que haviam visto os anúncios sem conteúdo sexual. E esse efeito se repetiu nas mulheres — apenas 10,85% se lembraram corretamente da marca ou do produto exibido nos anúncios com conteúdo sexual, ao passo que 22,3% se lembravam da marca ou do produto nos comerciais com conteúdo neutro. A equipe de pesquisa apelidou esse fenômeno de Efeito Vampiro, referindo-se ao fato de que o conteúdo excitante roubava a atenção da verdadeira mensagem do anúncio.

APESAR DE O SEXO SER USADO na publicidade há quase um século — um anúncio impresso dos anos 1920 mostra uma mulher seminua olhando para tampas de válvulas de pneus, manômetros e capas protetoras da Shrader Universal —, quando os consumidores americanos pensam no início do sexo na publicidade, um único nome vem à mente: Calvin Klein. Desde 1980, quando Brooke Shields aos 15 anos disse ao mundo, "Nothing comes between me and my Calvins" (um jogo de palavras que significa tanto "Não há nada entre mim e meus jeans Calvin Klein" e "Nada me separa dos meus jeans Calvin Klein"), o estilista se tornou famoso por seu domínio da arte da propaganda sexualmente sugestiva. Mas aqueles anúncios com Brooke Shields nos anos 1980, cujo teor implícito de sexo adolescente fez com que as vendas de jeans alcançassem aproximadamente dois milhões de pares por mês, foram apenas o início de uma estratégia de marketing que transformou a atmosfera sexual em um sinônimo da marca Calvin Klein. Lânguidos casais *grunge*, desalinhados e sem camisa. Modelos com olhos de corça. Um adolescente forte usando cuecas *boxer* reveladoras em cima de uma garota pré-adolescente em um óbvio prelúdio ao sexo. Nos anos seguintes, os *outdoors* da Calvin Klein com rapazes jovens e esculturais e moças magras e com seios grandes criaram uma grande sensação na mídia, transformando em astros Mark Wahlberg, Antonio Sabato Jr., Christy Turlington e Kate Moss — participantes de um império global que, em 1984, movimentava quase um bilhão de dólares por ano.[7]

Naturalmente, esses anúncios provocativos causaram indignação pública — para não falar de matérias publicadas na *Time*, *Newsweek* e *People*, entre outras revistas. A CBS e a NBC pararam de exibir alguns dos comerciais com Brooke Shields em protesto. O grupo Women against Pornography se opôs aos anúncios. Gloria Steinem disse que eram piores do que pornografia violenta, mas nem isso afastou os consumidores dos jeans Calvin Klein. Na verdade, ajudou as vendas e logo Klein passou a controlar quase 70% do mercado de jeans de importantes varejistas como a Bloomingdale's. "Vendemos mais jeans?", Klein disse. "Sim, claro! Foi ótimo."[8]

Em 1995, Klein aumentou as apostas. Lançou uma série de anúncios de tevê provocativos nos quais as câmeras instáveis, a iluminação fraca, a resolução granulada e a ambientação que parecia ser um quarto de motel barato com paredes de lambris em San Fernando Valley tentavam deliberadamente imitar vídeos pornográficos de baixo custo da década de 1970. Nesses anúncios, uma voz masculina rouca em *off* fazia a modelo na puberdade perguntas sugestivas como: "Você gosta do seu corpo? Já fez amor na frente de uma câmera?"

O público americano ficou realmente excitado. A American Family Association lançou uma campanha bem orquestrada de cartas aos varejistas exortando-os a não vender a marca Calvin Klein em suas lojas. Logo, o Departamento de Justiça dos EUA até abriu uma investigação para apurar se Klein havia violado as leis de pornografia infantil (a resposta acabou sendo negativa e ele nunca foi processado). Em resposta aos protestos, Klein negou todas as acusações de pornografia afirmando que os anúncios simplesmente retratavam "glamour... uma qualidade interna que pode ser encontrada em pessoas normais na ambientação mais medíocre".[9]

No final, Klein suspendeu a veiculação dos anúncios, mas a polêmica por si só gerou notícias — e mais publicidade grátis. E seus novos jeans, desenhados especificamente para que as costuras do gancho e das nádegas ficassem mais altas a fim de enfatizar a virilha e o traseiro, se tornaram algumas das peças de vestuário mais cobiçadas do ano.

O estilista continuou a forçar a barra. Estava dando certo, não? Em 1999, Klein veiculou anúncios de página inteira em vários periódicos (inclusive a *New York Times Magazine*) que mostravam dois meninos de, no máximo, cinco ou seis anos de idade, pulando em um sofá e vestindo apenas roupa de baixo Calvin Klein. Naturalmente, isso criou uma nova onda de indignação entre os grupos antipornografia, os defensores dos direitos das crianças e o público em geral. Embora um porta-voz da empresa tenha afirmado que os anúncios tinham como objetivo "capturar o mesmo calor e espontaneidade que encontramos em fotografias familiares", Klein, com muita publicidade, suspendeu no dia seguinte toda a campanha, inclusive o grande *outdoor* daqueles mesmos meninos que seria colocado na Times Square.[10]

Da mesma maneira que livros proibidos se tornam fenômenos de leitura obrigatória, vários observadores já haviam percebido àquela altura que a tática de Klein de revelar anúncios sexualmente sugestivos, deixar os consumidores tensos e, depois, retirá-los abruptamente era na verdade uma manobra de RP tão ousada e chamativa quanto os próprios anúncios. O crescimento de Klein foi espetacular ao longo dos anos 1970 e no início dos anos 1980 — sua marca era tão onipresente que os jeans passaram a ser chamados apenas de "Calvins".

A partir de 2002, quando Klein começou a enfrentar a concorrência de pesos-pesados como a Gap e foi forçado a vender a empresa para a gigante do vestuário Phillips Van Heusen, várias outras marcas passaram a usar a mesma tática e a explorar o fato de que a polêmica — até mais do que o sexo — vende, embora algumas tenham sido mais bem-sucedidas do que outras. Em 2003, por exemplo, a Abercrombie & Fitch lançou um catálogo de fim de ano extremamente ousado, do tipo pornografia leve, que suscitou um boicote da Coalizão Nacional para a Proteção das Crianças e Famílias e uma reportagem altamente desfavorável no programa *60 Minutes*. E, quando um recente anúncio impresso da Dolce & Gabbana, mostrando o que parecia ser um estupro coletivo, foi retirado de circulação em resposta a protestos de mulheres na Espanha, Itália e Estados Unidos, a marca foi penalizada. Porém, embora as empresas talvez afastem os consumidores a curto prazo com esse tipo de anúncio sugestivo, o fato é que esses anúncios, por mais ofensivos que sejam, são muito mais memoráveis por causa do choque que causam.[11]

E, quando o assunto é chocar, a mais nova adepta dessa técnica é a American Apparel, com sede em Los Angeles. Seus anúncios ousados, ligeiramente decadentes, com modelos mal-humoradas e muito jovens (muitas dos quais são funcionárias da empresa) em poses provocantes — muitas vezes com as pernas abertas e sempre em vários estágios diferentes de nudez — alcançaram o objetivo: gerar polêmica. Desde 2005, quando foi acusada de degradar as mulheres, promover a pornografia e até incentivar estupros, a empresa tem se saído melhor do que nunca — com 151 lojas em 11 países diferentes e vendas estimadas em aproximadamente trezentos milhões de dólares em 2006.

Mas a pergunta permanece: é o sexo que está vendendo, ou é a polêmica? As evidências apontam para a polêmica. É claro, o sexo, que está inerentemente ligado à nossa sobrevivência como espécie, é poderoso por si só, no entanto, em muitos casos, é a atenção que pode ser mais eficaz do que o próprio conteúdo sugestivo. E, embora sexo e polêmica estejam, pelo menos no mundo da publicidade, inseparavelmente ligados, quando o assunto é saber o que realmente influencia nosso comportamento e o que nos faz comprar, a polêmica pode muitas vezes ser o fator mais forte.

SE O SEXO NEM SEMPRE VENDE, o que dizer da beleza? Será que os anúncios, comerciais ou embalagens de produtos com supermodelos e celebridades anormalmente bonitas são realmente mais eficazes do que os que apresentam pessoas "de verdade"? Bem, indícios sugerem que, assim como o sexo, a beleza extrema ou celebridades desviam a nossa atenção das informações cruciais em um anúncio. Segundo um artigo da revista *Ad Age*, o uso que a Gap faz de pessoas famosas em anúncios, incluindo Lenny Kravitz e Joss Stone, tem sido um fracasso retumbante.[12]

Pense em garotos-propaganda extremamente atraentes como Nicole Kidman ou George Clooney. Lembramos de rosto deles, mas será que nos lembramos realmente da marca de perfume ou do modelo de relógio que eles estão tentando vender? É mais ou menos o que aconteceu alguns anos atrás, quando o comediante britânico John Cleese fez uma série de inteligentes comerciais antitabagismo que fracassaram no Reino Unido. As pessoas os adoravam porque eram muito inteligentes e engraçados, mas os espectadores ficavam tão distraídos pelo humor — e pela forte presença de Cleese — que a mensagem antitabagismo ficava em segundo plano. Da mesma maneira, o anúncio do comediante inglês Dawn French para a Cable Association e os anúncios do ator inglês Leonard Rossiter para o vermute italiano Cinzano eram, em minha opinião, dois outros exemplos de como as celebridades podem ofuscar o que um anúncio está tentando comunicar.[13]

Um recente estudo realizado na Universidade da Flórida mostrou que as mulheres, na verdade, são muitas vezes desestimuladas por modelos extremamente atraentes. Aproximadamente 250 jovens viram um conjunto idêntico de fotos de uma revista de moda que incluía celebridades como Uma Thurman e Lindsay Lohan. Depois, tinham de pôr as modelos em seis categorias separadas de beleza: exótica sensual, moderna, fofa, normal, gatinha sexy e clássica. Mas os resultados mostraram que as mulheres agruparam essa meia dúzia de categorizações e formaram duas categorias muitos mais gerais: sensual e saudável. Depois, elas tinham de reagir emocionalmente às imagens. Segundo o estudo, quanto mais provocante e sensual fosse a classificação que as mulheres davam à expressão e ao vestuário das modelos, mais entediadas ou desinteressadas elas se mostravam em relação ao anúncio. Por outro lado, quanto mais as modelos fossem sadias e naturais, e quanto mais estivessem de cara limpa e vestidas, mais positiva era a reação das mulheres.[14] Isso confirma o resultado de um estudo realizado em 2001 pela empresa de pesquisas de mercado Market Facts, que mostrava que o número de pessoas propensas a comprar um produto cujo anúncio mostrasse imagens de "amor" (53%) era quase o dobro do número de pessoas propensas a comprar um produto cujo anúncio mostrasse imagens que aludissem a sexo (26%).[15]

Outro motivo pelo qual a beleza nem sempre vende é o simples fato de que nós, como consumidores, estamos muito mais propensos a nos identificar com pessoas que se pareçam mais conosco e menos com Scarlett Johansson. Pense a respeito. Digamos que você seja uma mãe que está querendo comprar um carro novo. Você vê o anúncio de um Audi conversível dirigido por uma modelo de vinte e poucos anos, olhos alertas, pele lisa e cabelo balançando perfeitamente ao vento. Depois, você vê o anúncio de um Subaru Outback com uma mulher mais velha, menos atraente e ligeiramente descomposta (culpa, sem dúvida, de uma programação intensa de tarefas domésticas, idas à escola, lições de violoncelo e jogos de futebol) ao volante. Qual você escolhe? Talvez, no fundo, você queira o Audi, mas, no final, escolhe o Subaru porque pensa consigo mesma: "Aquela mulher se parece mais comigo." Mais especificamente ainda: "Que diabos uma atriz bonita tem a ver com carros, estradas e economia de combustível?"

Pense no que está acontecendo no mundo da televisão e da publicidade hoje. De *The Simple Life* a *The Hills*, programas de tevê baseados na realidade estão dominando a grade de programação das redes. Com base no que têm visto no YouTube, um número cada vez maior de anunciantes está começando a reconhecer que os consumidores gostam de ver — e estabelecer empatia com — pessoas iguais a eles mesmos.

Isso talvez explique por que uma das tendências mais fortes nos comerciais hoje em dia seja a publicidade gerada pelo consumidor — publicidade que permite que pessoas comuns participem de uma campanha. Como os anúncios e comerciais criados por consumidores comuns tendem a não apresentar modelos, mas pessoas de aparência mediana que se parecem conosco, podemos estabelecer uma conexão e nos identificar mais facilmente. Além disso, as pessoas de aparência mediana parecem mais convidativas, como se estivessem nos dando as boas-vindas à marca.

Veja o desodorante Axe, o líder em sua categoria. Recentemente, a empresa desafiou os consumidores a criar "o filme mais sujo do mundo", convidando o público a enviar seus anúncios mais enlameados e imundos. Um dos mais populares (que, obviamente, migrou para o YouTube) mostrava centenas de mulheres em biquínis sumários envolvidas em uma competição de triátlon. Mas aquelas mulheres eram modelos ou beldades desconhecidas? Não. Muitas eram atraentes, mas não se pareciam nada com supermodelos.

Muitas empresas estão reconhecendo que a vida, para muitas pessoas, se tornou o *reality show* supremo. A Heinz também entrou para o time da publicidade gerada pelos usuários e criou o "Desafio Televisivo Supere Isto!", convidando os fãs a enviar seus comerciais amadores de ketchup para um site e votar em seus filmes favoritos. Da mesma maneira, a KFC também veiculou recentemente um comercial feito de trechos de vídeos caseiros dos seus fãs, mostrando a reação exuberante, embora um pouco exagerada, de consumidores comuns, de aparência mediana, ao novo menu da empresa, sem gordura trans.

Então, por que muitas vezes reagimos mais favoravelmente a pessoas "de verdade" ou "comuns" em anúncios impressos e de tevê? Isso está, em grande parte, ligado ao nosso desejo de autenticidade. Devido ao seu caráter comum, as pessoas "de verdade" sugerem uma história prévia autêntica. E, por não parecerem modelos, sentimos que elas realmente acreditam no que estão vendendo. Porém, quando vemos supermodelos, por mais glamourosos e sedutores que possam ser para o olho humano, sentimos intrinsecamente que qualquer afirmação feita a respeito daquele produto é falsa. Eles não estão contando uma história; estão interpretando uma.

Se você precisa de mais provas de que pessoas sem glamour podem vender produtos, pense que Mikhail Gorbachev, dificilmente um ideal de glamour, apareceu no último comercial da Luis Vuitton — e também aparece em um anúncio da Pizza Hut na Rússia ao lado da neta.[16]

De fato, o que estamos começando a ver no âmbito da publicidade hoje é um casamento fascinante do mundo dos supermodelos retocados e o mundo do consumidor comum — uma união confusa entre o perfeito e o não muito perfeito. E, em nosso mundo cada vez mais gerado pelos consumidores, à medida que o desejo de autenticidade for crescendo, suspeito que os publicitários vão cada vez mais vender usando pessoas carismáticas, mas comuns, com histórias reais. A muito bem-sucedida campanha "Real beleza" da Dove, que mostrava histórias de mulheres de verdade, de todas as formas e tamanhos, e uma campanha recentemente lançada por uma empresa francesa chamada Comptoir des Cotonniers, na qual linhas de vestuário são apresentadas por mães e filhas "da vida real", são bons exemplos.

A PERGUNTA PERMANECE: SE SEXO E BELEZA não necessariamente vendem produtos, por que aparecem tanto no marketing e na publicidade? Graças a nossas experiências com imagens cerebrais, descobrimos pela primeira vez o motivo científico. E a resposta está nos neurônios-espelho.

Em um capítulo anterior, vimos como, diante da visão de jovens atraentes e sumariamente vestidos, os neurônios-espelho nos permitem pensar que somos igualmente descolados, atraentes e desejáveis. O mesmo vale para o apelo sexual. Só de observar uma modelo deslumbrante usando uma roupa de baixo rendada em um catálogo da Victoria's Secret, a maioria das mulheres consegue imaginar a sensação daquela roupa sobre sua pele — e se sente tão sensual e sedutora quanto a mulher no anúncio. Como mencionei mais cedo, esse fenômeno é o que está por trás da maior parte da publicidade hoje em dia, seja um comercial de perfume com Scarlett Johansson ou um anúncio de diamantes com Elizabeth Taylor.

Ou, se você é um homem, é provável que tenha se deparado com virilhas masculinas explícitas nas caixas de roupas de baixo. Não importa se você está comprando cuecas samba-canção, slips brancos ou um suporte atlético, há protuberâncias por toda parte. Pode parecer que o alvo são homens gays, mas, na verdade, essas imagens têm menos a ver com atração sexual do que com a visão do seu eu ideal. Graças aos neurônios-espelho, a simples visão daqueles corpos idealizados faz com que os homens medianos por aí se sintam confiantes e sensuais como se aqueles corpos fossem o deles. Aí, entram em cena namoradas e esposas. Quem você acha que compra a maior parte das roupas de baixo masculinas? Adivinhou. Na verdade, eu estimaria que mais de três quartos de todas as roupas de baixo masculinas são comprados pelas mulheres para os homens — um fenômeno conhecido como Estratégia Gillette (em referência à difundida noção de que 90% de todos os aparelhos de barbear Gillette são comprados por mulheres para os homens em suas vidas). Afinal, as mulheres também ficam felizes imaginando que seu homem está em boa forma, é viril e robusto como aqueles modelos nas embalagens de roupas de baixo.

Infelizmente, os efeitos pretendidos dos neurônios-espelho às vezes têm o resultado inverso. Pense em uma recente campanha de serviço público em Milão, cortesia da *griffe* de moda Nolita, que visava desencorajar a anorexia entre jovens modelos. A Nolita, sediada no nordeste da Itália, tem como público-alvo de suas roupas mulheres jovens e possui um longo histórico de campanhas publicitárias inovadoras. Mas a marca nunca atraiu muita atenção nas esferas da moda — até agora.[17]

Os *outdoors* da Nolita mostram uma francesa de 27 anos emaciada, cadavérica, chamada Isabelle Caro, que pesa no total 31 quilos. Em cima, lê-se o slogan: *Não. Anorexia.* Segundo um site de notícias, o fotógrafo Oliviero Toscani criou as imagens "para mostrar a todos a realidade da doença, causada, na maioria dos casos, pelos estereótipos impostos pelo mundo da moda".[18] No entanto, parece que o efeito foi o contrário. Assim como as sombrias advertências nos maços de cigarro fizeram com que os fumantes sentissem vontade de fumar, essas imagens da modelo cadavericamente magra fizeram com que as anoréxicas quisessem imitá-la porque seus neurônios-espelho sussurravam: "Você deveria estar magra assim" — e voltamos à mesma história de sempre. Em outras palavras, como o presidente da Associação Italiana para o Estudo da Anorexia explicou: "Longe de ajudar as mulheres que sofrem de anorexia, a foto pode fazer com que muitas delas sintam inveja da modelo e decidam se tornar ainda mais magras do que ela."

Essa é uma consequência infeliz de um fato que eu sempre lembro a mim mesmo: o sexo na publicidade tem tudo a ver com a satisfação de um desejo, com a introdução de sonhos no cérebro dos consumidores. E é por isso que acredito que, num futuro próximo, o sexo na publicidade simplesmente continuará a aumentar em todo o globo — e vai ficar cada vez mais ousado, extremo e evidente. Vamos começar a ver imagens sexuais como nunca vimos antes. E assim como hoje olhamos para trás e ficamos intrigados com a nossa indignação por causa da garota totalmente vestida da Noxzema e das comissárias de bordo da National Airlines, um dia olharemos para o lançamento do perfume Vulva como algo quase deliciosamente singelo.

Por quê? Porque conseguindo nos fazer comprar ou não, o sexo talvez esteja mais acessível hoje do que jamais esteve. Os consumidores jovens não precisam mais roubar as revistas indecentes do pai ou entrar sorrateiramente em um filme pornô — hoje, todo e qualquer tipo de sexo imaginável está a apenas um clique de distância. E por estarmos tão superexpostos a imagens de sexo, nos próximos anos, os anunciantes serão forçados a aumentar as apostas com uma sexualidade cada vez mais manifesta. Já vimos e fizemos tudo — portanto, o efeito de choque está cada vez mais fraco. Mas prevejo que, em última instância, isso surtirá o efeito contrário; daqui a uma década, a maioria de nós estará tão dessensibilizada em relação ao sexo na publicidade que nem o notará mais.

E os anunciantes vão retroceder — e começar tudo de novo.

Em outras palavras, acredito que, no final, o sexo na publicidade se tornará mais oculto. Os anúncios sexuais no futuro serão mais sorrateiros, mais sutis. Vão sugerir, mas não completar. Vão flertar, mas não passarão disso. Vão propor, e depois deixar o resto para nossa imaginação. Em suma, pode-se dizer que, no futuro, o sexo na publicidade vai dar o pontapé inicial dentro da nossa cabeça.

Agora, está na hora de deixar o cérebro assumir o controle.

11
CONCLUSÃO
Um novo dia

Neste livro, você testemunhou um encontro histórico entre ciência e marketing. Uma união de fatores aparentemente opostos que, espero, tenha lançado nova luz sobre a maneira como você decide o que escolher — desde alimentos a telefones celulares, cigarros e até candidatos políticos — e o motivo de suas escolhas. Agora, você e seu cérebro entendem melhor o que está por trás desse ataque publicitário que se vale de nossas preferências ocultas, desejos inconscientes e sonhos irracionais, e que exerce uma influência tão desmedida em nosso comportamento todos os dias. Graças às imagens neurológicas, podemos agora entender melhor o que realmente *guia* o nosso comportamento, as nossas opiniões e até nossa preferência por Corona em vez de Budweiser, iPods em vez de Zunes ou McDonald's em vez do Wendy's.

Quando você pensa a respeito, é estranho quanto tempo levou para que ciência e marketing se unissem. Afinal, a ciência existe desde que os seres humanos começaram a se questionar a respeito do motivo para termos um certo comportamento. E o marketing, uma invenção do século XX, tem feito perguntas do mesmo tipo há mais de cem anos. A ciência são fatos irrefutáveis, a palavra final. Os profissionais de marketing e anunciantes, por outro lado, passaram mais de um século jogando espaguete na parede esperando que colasse.

A verdade é que a maior parte das estratégias de marketing, publicidade e *branding* são um jogo de adivinhação — e todos aqueles anúncios bem-sucedidos são considerados, em retrospecto, pura sorte. Até agora, profissionais de marketing e anunciantes não sabiam exatamente o que guiava nosso comportamento, então, tinham de confiar na sorte, na coincidência, no acaso ou repetir continuamente os mesmos truques. Mas agora que sabemos que aproximadamente 90% do nosso comportamento de consumo é inconsciente, chegou a hora de uma mudança de paradigma. Mais cedo, comparei os anunciantes a Cristóvão Colombo pegando um mapa simples, rascunhado, de uma Terra que ele acreditava ser plana. Graças a experiências de rastreamento cerebral, agora estamos presenciando uma mudança quase aristotélica no pensamento; as empresas estão começando a perceber que o mundo, na verdade, é redondo. Chega de velejar, ziguezaguear e cair da beirada do mundo em um abismo. Há muito a se aprender com a ciência do neuromarketing. Deixe-me dar alguns exemplos.

Dentre as empresas que estão tirando proveito do neuromarketing está a Christian Dior, que testou sua nova fragrância, J'adore, com o IRMf, avaliando tudo desde aroma e cor até a inserção de seus anúncios. A empresa não revela o que descobriu, mas vale a pena notar que o J'adore foi um dos lançamentos de maior sucesso da Christian Dior em anos.[1]

Para descobrir por que a venda de CDs de uma popular cantora latino-americana havia caído nos últimos dois anos, a equipe de gestão por trás da artista contratou recentemente uma conhecida empresa de consultoria, a MindCode, que se especializa nos sinais indiretos que anúncios, marcas e personalidades enviam ao nosso cérebro de mamífero. Em um esforço para conquistar o mercado americano, a equipe de gestão havia alterado as letras das músicas da cantora para deixá-las 100% em inglês, a fim de atingir melhor o gosto dos ouvintes nos EUA. Mas será que essa poderia ser a razão para a inesperada queda na carreira da cantora? A cuidadosa análise da MindCode disse que sim, e aconselhou a equipe de gestão da cantora a reintroduzir letras em espanhol em suas canções (ou, pelo menos, misturá-las judiciosamente com as letras em inglês), o que foi feito. Alguns meses mais tarde, as vendas de CDs da cantora haviam voltado a subir espetacularmente.

A Microsoft e o computador pessoal também estão entrando em cena, finalmente reconhecendo que "os seres humanos muitas vezes relatam mal suas próprias ações", segundo um porta-voz da empresa.[2] E é por isso que a empresa planeja usar TEEs para registrar a atividade elétrica no cérebro das pessoas a fim de observar que emoções — de surpresa a satisfação, ou tremenda e exasperante frustração (um sentimento que a maioria dos usuários da Microsoft conhece) — elas sentem ao interagir com seus computadores.

A Unilever, a gigante internacional que fabrica de tudo, desde o creme Pond's ao chá Lipton, se uniu recentemente a uma empresa de rastreamento cerebral para descobrir o que os consumidores realmente acham de seus sorvetes campeões de vendagem Eskimo. E o que eles descobriram? Os consumidores não apenas gostavam daquela marca específica de sorvete; na verdade, ficou claro que o ato de tomar sorvete gera em nós um prazer visceral ainda maior do que comer chocolate ou iogurte.

Os neurocientistas até estudaram como o cérebro toma decisões a respeito de quanto estamos dispostos a pagar por um produto. Quando os indivíduos veem produtos de luxo como os da Louis Vuitton ou Gucci sendo vendidos sem desconto, tanto o *nucleus accumbens* quanto o cingulado anterior se acendem, mostrando o prazer da antecipação da recompensa misturado com o conflito de comprar algo tão caro. Porém, quando os consumidores veem os mesmos produtos com um desconto significativo, o sinal "conflitante" diminui, ao mesmo tempo em que a ativação da recompensa *aumenta*.

Em um estudo correlato, pesquisadores da Universidade Stanford e do Instituto de Tecnologia da Califórnia pediram que vinte voluntários classificassem, dentro de um equipamento de IRMf, o prazer que sentiam com vinhos de preços diferentes. O truque: dois dos vinhos eram apresentados duas vezes, um com o preço inflacionado e o outro com o preço normal. As descobertas? Quando o vinho caro era apresentado, havia um aumento de atividade no córtex orbitofrontal medial dos indivíduos, o local no qual eles percebem o prazer — indicando que, quanto mais alto o preço de um produto, maior o prazer que sentimos. Antonio Rangel, professor assistente de economia no Cal Tech, concluiu: "Sentimos prazer com nossas compras... porque pagamos mais."[3]

Porém, poucos estudos de neuromarketing poderiam ser mais intrigantes do que o realizado no início de 2007 por uma equipe de pesquisadores da UCLA. Usando um aparelho de IRMf, eles rastrearam o cérebro de dez pessoas — cinco homens e cinco mulheres — enquanto elas assistiam novamente aos comerciais do Super Bowl do ano passado. O mínimo que se pode dizer é que foi uma experiência com apostas altas, tendo em vista que o preço de um anúncio de trinta segundos durante o Super Bowl alcançou um novo recorde: US$2,4 milhões por uma única apresentação, o preço mais alto da história da tevê.

Um anúncio, criado pela gigante automobilística General Motors, alardeava a garantia de cem mil milhas da montadora. O anúncio começa com a imagem de um robô trabalhando em uma linha de montagem de carros. Tudo funciona normalmente até que o robô deixa escapar um parafuso e a linha de montagem para. Rapidamente, o robô perde o emprego, fica sem teto, desanimado e se vê obrigado a pedir esmola nas calçadas, até que, finalmente, põe fim à sua vida pulando de uma ponte. Nos últimos segundos, é revelado que o robô estava tendo um pesadelo, cujo objetivo é demonstrar o alto nível de perfeccionismo dos operários da GM.

Outro anúncio lançado pela Nationwide Annuities era estrelado pelo indomável Kevin Federline, o ex-marido de Britney Spears. Todo vestido de branco, K-Fed sai de um carro esportivo vermelho enquanto mulheres trajando biquínis se aglomeram à sua volta. Ao contrário do anúncio da GM, toda a história é revelada como um sonho no local de trabalho. A tomada seguinte mostra Kevin Federline na vida real trabalhando atrás do balcão de uma cadeia de fast-food. O slogan? "Life comes at you fast" ("A vida pega você rápido"). O subtexto óbvio é que um homem pode estar no topo do mundo em um momento e trabalhando para ganhar salário mínimo no outro — portanto, seria inteligente se proteger investindo com a Nationwide.

Enquanto os voluntários assistiam aos dois comerciais, as imagens do IRMf revelavam uma quantidade perceptível de estimulação na amígdala, a região do cérebro que gera medo, ansiedade e o impulso de lutar ou fugir.

Em outras palavras, os comerciais haviam assustado os espectadores, deixando-os chateados, abalados, ansiosos e nervosos. Os voluntários podiam estar pensando na incerteza da economia ou na segurança de seu próprio emprego; ou simplesmente podiam ter achado o robô — ou Kevin Federline — inerentemente assustadores. A questão é que as imagens cerebrais revelaram informações de valor incalculável para a GM e a Nationwide Annuities: além de não funcionarem, os comerciais de US$2,4 milhões estavam assustando e afastando as pessoas.[4]

Mas talvez a maior lição que as empresas tenham aprendido com o neuromarketing foi que os métodos de pesquisa tradicionais, como perguntar aos consumidores por que eles compram um produto, só chegam até uma parte minúscula dos processos cerebrais que estão por trás do processo de tomada de decisões. A maioria de nós não consegue dizer: "Comprei aquela bolsa Louis Vuitton porque ela agradou a minha vaidade e quero que minhas amigas saibam que também posso comprar uma bolsa de quinhentos dólares", ou "Comprei aquela camisa Ralph Lauren porque quero ser visto como um sujeito moderno, que está bem de vida e não precisa trabalhar, apesar de o limite de todos os meus cartões de crédito estar estourado". Como vimos repetidamente, a maioria das nossas decisões de compra não são nem remotamente conscientes. O cérebro toma a decisão e, na maioria das vezes, nem temos consciência disso.

Mas, apesar do que estamos começando a aprender agora sobre o modo como nosso cérebro influencia o comportamento de consumo, ainda há muito mais a ser descoberto pelos cientistas. Então, como as descobertas da neurociência vão afetar como compramos (e o que compramos) no futuro próximo? Acredito que a obsessão nacional com compras e consumo só vai aumentar à medida que os profissionais de marketing forem se tornando cada vez melhores em atingir desejos e aspirações subconscientes.

Embora em alguns casos (por exemplo, o comercial da Nationwide, que, em geral, deixou os espectadores ansiosos e abalados) o medo possa afastar os consumidores de um produto, não há como negar que o medo exerce um efeito extremamente poderoso no cérebro. Na verdade, quando mexem menos com as ansiedades generalizadas e mais com nossas inseguranças em relação a nós mesmos, os anúncios baseados em medo podem ser um dos tipos mais persuasivos — e memoráveis — de publicidade. Posto isso, prevejo que veremos cada vez mais marketing baseado no medo nos próximos anos. Lembre-se de que, quanto maior o estresse a que estivermos submetidos em nosso mundo e quanto maior for o medo, maior será nossa procura por bases sólidas. E quanto mais procuramos bases sólidas, mais nos tornamos dependentes da dopamina. E quanto mais dopamina circula por nosso cérebro, mais *coisas* queremos. É como se tivéssemos embarcado em uma escada rolante rápida e não conseguíssemos descer para salvar nossa vida. Talvez George W. Bush soubesse algo a respeito do cérebro — quando lhe perguntaram o que os americanos podiam fazer para contribuir nos dias e semanas assustadores e instáveis após o 11/9, ele respondeu com uma única palavra: "*Comprar.*"

Em breve, um número cada vez maior de empresas vai se esforçar para manipular medos e inseguranças a respeito de nós mesmos para nos fazer pensar que não somos suficientemente bons, que se não comprarmos um determinado produto, estaremos de alguma forma perdendo algo. Que vamos nos tornar cada vez mais imperfeitos; teremos caspa, pele ruim, cabelos opacos; seremos gordos ou não saberemos nos vestir bem. Se não usarmos um certo creme de barbear, as mulheres vão passar por nós sem nem nos olhar; se não tomarmos um certo antidepressivo, seremos ignorados para sempre; se não usarmos uma certa marca de *lingerie*, nenhum homem se casará conosco (e precisamos lembrar que você está envelhecendo e começando a aparentar a idade que tem?).

Esse tipo de medo funciona. E agora, mais do que nunca, as empresas estão percebendo isso.

E mais, o *branding* que conhecemos está apenas começando. Espere que absolutamente qualquer coisa tenha uma marca no futuro — pois, como nosso estudo de rastreamento cerebral mostrou, o cérebro está programado para atribuir às marcas um significado quase religioso e, em virtude disso, criamos lealdades imutáveis em relação a elas.

Veja esse exemplo de peixes.

Trinta e dois quilômetros ao largo da ilha japonesa de Kyushu, encontra-se o canal Bungo, no qual as águas do oceano Pacífico convergem para o Mar Interior de Seto. É aqui que começa a caça de um pequeno tipo de cavala de cor rosa-acinzentada conhecida como *Seki saba*. Até o final dos anos 1980, os pescadores consideravam o *Seki saba* uma refeição de gente pobre. Era um peixe abundante, barato e que apodrecia da noite para o dia. Até 1987, o *Seki saba* custava apenas mil ienes cada — cerca de dez dólares — e seu baixo retorno não rendia quase nada para os pescadores além do próprio peixe depois de um dia de trabalho.

Mas, em 1988, aconteceu algo que abalou e redefiniu as regras do mercado local e nacional de cavalas no Japão: ao longo daquele ano, o preço no varejo do *Seki saba* disparou aproximadamente 600%. Então, como um peixe sem nada de excepcional se tornou uma iguaria no Japão praticamente da noite para o dia?

A LÓGICA DO CONSUMO | 173

Tornando-se uma marca. Em 1998, o governo japonês concedeu ao *Seki saba* um certificado oficial atestando o sabor superior do peixe e a sua alta qualidade. E esse selo, por si só, foi o suficiente para transformar a percepção popular — em um país de aproximadamente 125 milhões de pessoas — a ponto de justificar um aumento de 600% no preço. "Sabíamos que, se pudéssemos diferenciá-lo, poderíamos cobrar um preço mais alto", confirmou Kishichiro Okamoto, chefe da sucursal de Saganoseki da cooperativa de pescadores da Prefeitura de Oita. Primeiro, Okamoto registrou como marca o nome *Seki*, ligando a cavala à região de Saganoseki, na qual podia ser encontrada. Depois, estabeleceu uma série de regras que ditavam quais peixes podiam ou não ser considerados *Seki saba* autênticos. Segundo as novas regras, apenas os *saba* pescados com varas eram qualificados como *Seki saba*, pois os peixes pescados com redes tradicionais eram considerados machucados ou danificados demais. Segundo Okamoto, o *Seki saba* também deve ser morto por uma técnica local chamada *ikejima* que envolve perfurações perto das guelras e do rabo para drenar o sangue do peixe de forma limpa e eficiente. E, a fim de evitar a manipulação excessiva, o *Seki saba* não deveria ser pesado ou medido. Ao invés disso, os compradores no atacado tinham de adotar a "compra pelo aspecto" e selecionar o seu *Seki saba* apenas olhando minuciosamente o peixe.

Quando saí do mercado de peixe de Tóquio ao raiar do dia de uma fria manhã de setembro, só sobravam caixas vazias nas áreas de exposição do *Seki saba*. Não interessava se o *Seki saba* era idêntico ao *Seki isaki* ou ao *Seki aji*, suas espécies irmãs. Os compradores japoneses de peixe precisavam ter a marca *Seki saba*.

Cada um de nós atribui maior valor a coisas que consideramos — racionalmente ou não — especiais de alguma maneira. Digamos que você esteja fazendo quarenta anos hoje e que, para comemorar seu aniversário, eu lhe dê uma caixa lindamente embrulhada. Após desfazer o papel, você tira da caixa uma pequena pedra cinza. Comum, mediana, feia, o tipo de pedra que você poderia ver largada na rua. "Muito obrigado", você está pensando ironicamente.

Mas e se eu prosseguir dizendo que aquela não é uma pedra *qualquer*, mas uma pedra única, um símbolo histórico, um fragmento do Muro de Berlim que foi contrabandeado para fora do país dias após a destruição do muro em 1989, quando os berlinenses ocidentais e orientais começaram a pegar como amuletos lascas e nacos da barreira destruída? Você agora tem em seu poder um talismã que simboliza o fim da Guerra Fria.

"Muito obrigado", você diz, dessa vez com sinceridade.

"De nada", respondo. "Parabéns pelos quarenta anos." Passa um tempinho. Depois, digo a você que estava apenas brincando. A pedra não veio do Muro de Berlim — é ainda mais excepcional. A pedra que você tem em suas mãos é uma autêntica pedra lunar, um pedaço dos 170 gramas de detrito lunar que Neil Armstrong e seus colegas astronautas trouxeram da missão Apolo XI em 1969.

Uma pedra lunar é bastante especial. Há um número limitado delas no mundo. E, afinal de contas, vem da Lua. "Que presente incrível!", você pensa. Fica chocado, genuinamente perplexo.

A verdade é que encontrei a pedra na rua, coloquei-a no bolso e joguei-a numa caixa. Além do milagre quotidiano da geologia, das placas tectônicas e tudo o mais, trata-se apenas de uma pedra. Mas, a partir do momento em que lhe atribuí certas propriedades — significado histórico, raridade geológica, seja o que for —, ela se tornou muito mais. Em outras palavras, quando atribuímos uma marca às coisas, nosso cérebro as considera mais especiais e valiosas do que realmente são.

Outra coisa que acredito que veremos em breve é o advento da marca humana 24 horas. Veja o exemplo de Paris Hilton. Muitos de nós a respeitam pouco, mas, de qualquer maneira, ela se tornou uma marca que anda, fala, ri e festeja. Quer esteja estrelando um filme pornô amador na internet, dançando em uma nova casa noturna em Tóquio, promovendo sua nova linha de roupas ou passando um tempinho na cadeia, Paris é uma marca humana que cria manchetes e publicidade aonde quer que vá. Da mesma maneira, Richard Branson, o mítico executivo-chefe da Virgin Atlantic, é atualmente mais uma marca viva do que um magnata dos negócios. Quer esteja passando a semana em sua ilha particular no Caribe, passeando de balão na França ou anunciando planos para uma viagem à Lua, ele nunca está longe dos olhos do público. E, no futuro, acho que as empresas vão adotar cada vez mais marcas pessoais, criando verdadeiros personagens a fim de obter mais exposição e, por sua vez, vender mais coisas.

Mas tudo isso é apenas o começo.

Espero que meu estudo tenha ajudado a desmistificar boa parte do que acontece na mente subconsciente. E isso tem implicações muito mais amplas do que ajudar alguém num escritório a arquitetar novas maneiras de convencer os consumidores que a água da sua torneira foi na verdade engarrafada pelas crianças Von Trapp durante um passeio de bicicleta pelos Alpes.

O neuromarketing ainda está engatinhando e, nos próximos anos, acho que só vai expandir o seu alcance. Embora talvez nunca consiga nos dizer *exatamente* onde fica o "botão das compras" no nosso cérebro — "Graças a Deus!", muitos podem dizer —, o neuromarketing certamente ajudará a prever certas direções e tendências que vão alterar a configuração, e o destino, do comércio em todo o mundo.

E, de qualquer forma, que outra opção temos? Podemos, como indivíduos, fugir do alcance dos profissionais de marketing, das marcas e da nova configuração da publicidade que agrada à nossa mente subconsciente? Isso não é fácil no mundo atual. Talvez se você fosse ao supermercado, estocasse alimentos para as próximas duas décadas e, depois, se fechasse em casa com trancas duplas. Tirasse o televisor da tomada. Desligasse o telefone celular. Cancelasse a conexão de internet banda larga. Em outras palavras, se você se isolasse totalmente do mundo exterior.

Mas suspeito que a vida logo se tornaria um pouco enfadonha e chata. Você estaria a salvo dos publicitários, mas a que preço?

A alternativa? Um mundo no qual você enfrenta o ataque violento da publicidade entendendo melhor quais são seus impulsos e motivações, o que causa atração e repulsa, o que incomoda. Um mundo no qual você não é um escravo das operações do seu subconsciente nem um fantoche nas mãos de profissionais de marketing e empresas que tentam controlá-lo. Um mundo no qual, antes de sair correndo para comprar aquele novo creme para a pele com aroma de baunilha, aquele xampu com o misterioso fator X ou aquele maço de Marlboro que sua mente racional sabe que vai depositar glóbulos de gordura em seus pulmões, você para. Porque esse é um mundo no qual nós, consumidores, podemos escapar de todos os truques e armadilhas que as empresas usam para nos seduzir e nos fazer comprar seus produtos e no qual podemos voltar a agir racionalmente. E espero que, ao escrever *A lógica do consumo: verdades e mentiras sobre por que compramos*, eu tenha ajudado a criar esse mundo.

Então, fique atento.

P.S.: Se você quiser continuar essa jornada pela sua "lógica de consumo", visite www.MartinLindstrom.com e entre num mundo — com suas verdades e mentiras — que estamos apenas começando a entender.

APÊNDICE

A maioria das experiências de pesquisa na escala usada em *A lógica do consumo* requer meses, ou anos, de planejamento, discussão e avaliação. Geralmente, um pesquisador cria, pesquisa e refina uma hipótese e, depois, projeta um modelo para testá-la, tudo isso antes de finalmente realizar a experiência em si.

Os estudos que estão por trás de *A lógica do consumo* não fogem a essa regra. Comecei com uma série de hipóteses, todas baseadas no que havia aprendido e observado nas duas décadas em que ajudei empresas a construir marcas duradouras. Uma das hipóteses era que as advertências nos maços de cigarro na verdade estimulam o fumo. Outra era que a inserção de produtos é, em grande parte, inútil. A terceira era que existe uma forte ligação entre marcas, ritual e religião. Depois fiz a pesquisa necessária, peguei essas hipóteses e pensei numa maneira de testá-las usando as técnicas mais avançadas de neuroimagem.

Mas, é claro, faltavam-me o equipamento e a base científica para fazer isso sozinho. É por isso que recrutei a ajuda de dois grandes pesquisadores, a dra. Gemma Calvert e o professor Richard Silberstein.

A dra. Calvert, que é catedrática de Neuroimagem Aplicada e diretora do novo Centro de IRMf do Grupo de Manufatura de Warwick, na Universidade de Warwick, e cofundadora da Neurosense em Oxford, liderou as nossas pesquisas com IRMf. O rastreamento com IRMf (Imagem por Ressonância Magnética funcional) é uma técnica segura e não intrusiva que registra e mede a atividade cerebral associada a percepção, cognição e comportamento. Quando uma tarefa é realizada, os neurônios nela envolvidos se tornam ativos, ou "disparam", emitindo impulsos elétricos. Energia sob forma de sangue oxigenado (uma substância magnética produzida pelo ferro no sangue) flui então para essas áreas cerebrais ativas, mudando as propriedades magnéticas dessas regiões numa escala ínfima, mas mensurável. Usando um grande ímã (aproximadamente quarenta mil vezes mais forte do que o campo magnético da Terra), o aparelho de IRMf mede essas mudanças na distribuição de sangue oxigenado durante e após a tarefa. Com a ajuda de sofisticados programas de computador que analisam as mudanças das propriedades magnéticas em todo o cérebro, a dra. Calvert e sua equipe puderam identificar com precisão e quantificar as mudanças na atividade cerebral causadas por vários estímulos com extraordinária resolução espacial (isto é, com precisão de um a dois milímetros). Embora tenha lá seus críticos, a IRMf é geralmente considerada uma das ferramentas mais precisas e confiáveis de geração de imagens cerebrais atualmente disponíveis.

Com uma equipe de quatro pesquisadores em tempo integral e cinco auxiliares em meio expediente, o professor Richard Silberstein, catedrático de Neurociência Cognitiva e executivo-chefe da Neuro-Insight, realizou as topografias de estado estável (TEE) da nossa experiência. A TEE, que o professor Silberstein desenvolveu, é uma técnica que usa uma série de sensores para medir pequenos sinais elétricos em uma dúzia de áreas diferentes do cérebro humano (o córtex parietal posterior, o giro cingulado anterior, o córtex pré-frontal, o prosencéfalo basal, o núcleo mediodorsal, a amígdala, o hipocampo, o córtex inferotemporal, o córtex pré-frontal direito, o córtex parietotemporal direito e o córtex orbitofrontal). Como o cérebro é especializado, com regiões físicas específicas claramente associadas a funções cognitivas próprias, a TEE oferece dicas de como as funções cognitivas (excitação, envolvimento etc.) estão acontecendo em reação a vários estímulos. Por medir esses sinais elétricos até 13 vezes por segundo, a TEE, ao contrário da IRMf, proporciona o que resulta ser um registro em tempo real da atividade daquelas 12 regiões cerebrais.

Cada uma das experiências com IRMf em *A lógica do consumo* foi aprovada pela Comissão Central de Ética do Reino Unido. Primeiro, entregamos um pedido descrevendo que estímulos visuais estávamos planejando mostrar a um certo número de voluntários, além da descrição de como planejávamos recrutar tais voluntários (contratando uma série de empresas de recrutamento). Todas as petições foram aprovadas e as experiências foram consideradas seguras para nossos voluntários. Uma vez selecionados, os voluntários receberam informações integrais sobre os parâmetros de cada experiência, e cada um recebeu um pagamento diário como sinal de agradecimento por sua participação no estudo.

Como a Neuro-Insight, a empresa que realizou as TEEs, é uma fornecedora independente de serviços de pesquisa de mercado que usa seu próprio equipamento de mensuração e seus próprios recursos, e, portanto, não precisa usar nenhuma instalação universitária, não foi necessário submetê-la aos mesmos procedimentos de apreciação ética a que foram submetidas as experiências com IRMf. Todavia, a Neuro-Insight obedece a legislação nacional ou internacional em vigor nos países em que opera e segue códigos e práticas estabelecidos pelo setor de pesquisas de mercado daqueles países — o que significa que a Neuro-Insight informa os voluntários de maneira clara, integral e honesta a respeito de suas técnicas e obtém seu consentimento explícito por escrito para que possam participar das experiências. Depois de iniciado o estudo, os participantes podem interromper seu envolvimento em qualquer estágio; no entanto, nenhum dos participantes das experiência realizadas para *A lógica do consumo* optou por fazê-lo.

AGRADECIMENTOS

Há alguns anos, alguns amigos e eu embarcamos na Escalada da Ponte da Baía de Sidney, no meio do porto da cidade australiana. Trata-se de uma subida de quatro horas que o conduz por passarelas, corredores e escadas até você chegar ao topo da Harbour Bridge. A vista, obviamente, é espetacular. É possível ver cada prédio, cada telhado, cada navio que passa. Raramente faço coisas desse tipo — é um programa de turista —, mas nunca vou me esquecer daquela tarde. Não porque eu nunca tivesse visto a cidade daquela altura (porque vejo, toda vez que chego de avião de uma das minhas infinitas viagens), mas por causa do nosso guia. Ele se chamava Adam e era inspirador.

Depois de termos alcançado o topo, perguntei a ele como conseguia se manter tão motivado e engajado apesar de já ter visto e feito aquilo tantas vezes. Qual era o seu segredo? Como ele conseguia não bocejar, não se desligar ou simplesmente não agir de forma mecânica?

Adam me informou que todos os membros da equipe de escalada à Ponte da Baía de Sidney têm de passar por um programa de treinamento de quatro meses. No primeiro mês, são treinados para contar histórias — transmitir mensagens interessantes para todos os tipos de pessoas com origens e culturas diferentes. Também aprendem a memorizar o nome das pessoas, algo que eles conseguem fazer em menos de dois minutos. No segundo mês, aprendem como lidar com os ataques de pânico dos escaladores. Afinal de contas, o topo da ponte fica bem acima da água, as estradas são apertadas, os corredores são estreitos e, se você tiver a mínima propensão à ansiedade, aquilo é um convite para ataques nervosos.

Então, perguntei: "E depois vocês passam os dois últimos meses do treinamento estudando a história da Ponte da Baía de Sidney e de sua cidade, certo?" "Não", respondeu Adam. Em vez disso, os aspirantes a guia passam o terceiro mês realizando suas próprias pesquisas, conversando com pessoas que trabalham, ou trabalharam, na ponte de 75 anos, inclusive pintores, mecânicos e até mesmo parentes das pessoas que estiveram envolvidas na construção da ponte. Por quê? Assim, ao invés de simplesmente aprender a recitar e repetir frases feitas, os guias podem criar suas próprias histórias. "Por isso me sinto tão motivado", Adam me disse. Por isso ele nunca se cansava de fazer aquilo: as histórias eram dele.

Três anos após ter embarcado nesta viagem, o motivo é o mesmo para eu ainda estar tão empolgado em fazer descobertas sobre a nossa lógica de consumo. Trata-se da minha própria aventura por territórios desconhecidos, uma aventura que ninguém empreendeu neste nível até agora. Mas, assim como foram necessárias milhares de pessoas para construir a ponte (das quais algumas sofreram acidentes fatais), foi necessária uma equipe realmente notável para realizar este estudo incrível, angariar dinheiro e, finalmente, escrever este livro.

Peter Smith converteu minha voz, meus pensamentos, minha redação enferrujada, minhas piadas sem graça e meu "dinglês" (uma mistura de dinamarquês e inglês) em inglês americano. Mas não foi só isso, ele o fez da maneira mais incrível e divertida. Ele é o tipo de sujeito pelo qual todos se apaixonam — minha assistente pessoal na Europa, minha assistente pessoal na Ásia, meus gerentes de projeto, todo mundo! Ele é um mestre da boa redação e transformou um projeto científico sofisticado em uma narrativa agradável e de fácil leitura. Muito bem, Peter — você é meu herói. Junto de Peter, temos seu amigo — e meu amigo — Paco Underhill. É como se fôssemos uma grande família, sabe? Paco, muito obrigado por tudo. Desde o início, você me incentivou, inspirou e incitou a chegar até aqui. Você, e sua maravilhosa e talentosa companheira, Sheryl Henze, são amigos de verdade.

Meu agente, James Levine, com meu editor favorito, Robert Scholl, intuíram a visão por trás deste livro bem antes de mim. Eu estava prestes a começar a escrever outro livro para empresas quando eles levantaram a mão e disseram: "Pare! Este livro não é apenas para empresários, é para todos." Tinham razão. Roger, foi fantástico trabalhar com você. Obrigado por sempre estar presente e por ter trabalhado o ponto de vista deste livro até transformá-lo no que ele é hoje. Jim, obrigado por acreditar neste projeto quando ninguém mais acreditava — ainda me lembro do nosso passeio a uma temperatura abaixo de zero pelas calçadas de Nova York indo do escritório de um editor para outro quando você se virou para mim e disse: "Sinto que há algo no ar." Fiquei arrepiado, em mais de uma maneira. Agradeço também a todos na agência literária Levine/Greenberg, inclusive Lindsay Edgecombe, Elizabeth Fisher, Melissa Rowland e Sasha Raskin.

O trabalho realmente começa quando seu trabalho volta coberto de mais tinta vermelha do que preta. Talia Krohn — meus cumprimentos e parabéns. Você foi uma voz crítica incessante que fazia todas aquelas perguntas que nós secretamente esperávamos que nunca fossem lhe ocorrer, mas que, de uma forma ou de outra, ocorriam. Muito obrigado por seu trabalho árduo e pelos incríveis esforços. Consigo imaginá-la em sua mesa, enterrada sob milhares de páginas, com sua terrível canetinha vermelha. (Por favor, não dá para mudar para azul da próxima vez? O vermelho me faz lembrar da escola.) Obrigado. E, Roger, acho que, no final, temos em mãos um trabalho incrível.

Depois, temos todo o pessoal da Random House e da Doubleday: Michael Palgon, o editor adjunto da Doubleday, que sempre apoiou firmemente e defendeu este projeto; Meredith McGinnis e Emily Boehm, do marketing; Elizabeth Hazelton e Nicole Dewey, da divulgação; e Louise Quayle, do departamento de direitos, por seu trabalho notável na criação de um pacote em torno do meu livro que o mundo adorou. Jean McCall, Ceneta Lee-Williams, Amy Zenn e o resto da trabalhadora e extraordinária equipe de vendas que começou a fazer logo no início (e continua fazendo até hoje) publicidade boca a boca deste livro.

Para ser sincero, meu medo de que ciência e marketing fossem entrar em choque se mostrou infundado. A equipe científica por trás deste livro é, sem dúvida, a própria base de nossos esforços, e foi uma prazer trabalhar com cada uma dessas pessoas. Primeiro, uma enorme dívida de gratidão com Gemma Calvert, Michael Brammer e toda a equipe da Neurosense — aproveitei cada minuto da nossa parceria. Peço desculpas por ser tão exigente, por fazer tantas perguntas tolas e por enchê-los de pedidos, pontos de vista e ideias bobas. Vocês sempre responderam com bom humor, o que, tendo em vista a pressão que exerci sobre vocês, ainda me surpreende.

Agradeço também ao professor Richard Silberstein, a Geoffery Nield e ao resto da equipe da Neuro-Insight. Geoffery inspecionou mais cérebros mundo afora do que qualquer outra pessoa que conheço e fez um trabalho extraordinário investigando minhas visões e revelando dimensões que eu nunca havia levado em consideração.

Outro grupo de pessoas merece um agradecimento muito especial — aqueles milhares de voluntários que travam uma batalha diária com o cigarro. Gostaria de agradecer em espercial a Katie Kemper da Tobacco Free Kids. Katie fez um trabalho tremendo divulgando as descobertas de *A lógica do consumo* no seio da comunidade antitabagismo. Também gostaria de cumprimentar a American Legacy Foundation, o National Institute on Drug Abuse, a Pinney Associates, o Schroeder Institute for Tobacco Research and Policy Studies e a American Cancer Society. Realmente gostei de ter trabalhado com todos vocês para converter as descobertas do estudo de *A lógica do consumo* em soluções que ajudarão a confrontar as poderosas campanhas das grandes empresas de tabaco.

Um agradecimento especial a Frank Foster, um pilar fundamental na transformação da Buyology Inc. em realidade — e a SP Hinduja e à sua família tão especial, que inspiraram alguns dos *insights* deste livro.

Muitas pessoas na Lindstrom Company e nas nossas afiliadas (inclusive a empresa de neuromarketing com sede em Nova York, a Buyology Inc.) foram essenciais para transformar este livro em realidade, e nunca pararam de me incentivar a levá-lo sempre mais além, em especial Lynn Segal, que criou o perfil do livro; e Signe Jonasson, que, guiando-me nos itinerários mais complexos mundo afora, ajudou a dar vida a este livro; John Phillips e Simon Harrop, da nossa empresa afiliada, a agência BRAND sense, por suas valiosas informações sobre nossos sentidos; Julie Anixter e Duncan Berry por suas revelações profundas sobre dimensões cognitivas; e Duncan Sturgess, cuja personalidade, energia e contribuição foram, e ainda são, uma fonte constante de inspiração.

Muito bem, aí vem a parte dos patrocinadores (proteja-se!). Sem milhões de dólares de apoio financeiro de algumas das empresas mais respeitadas do mundo, as páginas deste livro teriam ficado, bem, em branco. A GlaxoSmithKline (uma das principais empresas farmacêuticas de todo o mundo no fornecimento de produtos e soluções para ajudar as pessoas a parar de fumar), a Fremantle e a Bertelsmann — obrigado a todos. Immanuel Heindrich: quem pensaria que o mesmo projeto que discutimos há uns quatro anos acabaria sendo publicado por uma subsidiária do seu grupo? Isso é que é coincidência! Obrigado, Immanuel — você é incrível.

A Hakuhodo — minha agência de publicidade favorita no Japão, que, desde o primeiro dia, se associou a este projeto. A Firmenich — líder mundial incontestе no campo de sabores e fragrâncias que, desde a publicação de *Brandsense — A marca multissensorial*, acredita firmemente no que faço. Ao executivo-chefe Tim Glegg e à Americhip — uma líder na incorporação dos sentidos humanos em memoráveis anúncios impressos — minha mais profunda gratidão. A Firmenich e a Americhip empenharam-se muito para o lançamento deste livro, algo que não esquecerei tão cedo. E um enorme obrigado aos vários outros patrocinadores que sempre me apoiaram nos bastidores.

Mas tenho sobretudo uma enorme dívida de gratidão com os milhares de pessoas em todo o mundo que, como voluntárias, se uniram a mim nesta missão. Imagine deixar alguém inspecionar seu cérebro em nome da exploração do futuro. Obrigado também às centenas de gerentes de projeto, coordenadores e controladores que supervisionaram este projeto, bem como aos painéis éticos que supervisionaram e aprovaram cada um dos nossos passos.

No final, *A lógica do consumo* não é apenas a minha história. Pertence a todas as pessoas que têm um cérebro e que querem conhecer a ciência por trás das nossas motivações de compra e, sobretudo, saber quem somos enquanto seres humanos.

Sinto-me como se estivesse na cerimônia de entrega dos Prêmios da Academia — onde está o Oscar?

NOTAS

Introdução

1. http://www.commercialalert.org/issues/culture/neuromarketing/commercial-alert-asks-senate-commerce-committee-to-investigate-neuromarketing; http://www.organicconsumers.org/corp/neuromarketing.cfm

1. Um afluxo de sangue para a cabeça

1. http://library.thinkquest.org/17360/text/tx-e-pod.html

2. http://www.theglobeandmail.com/servlet/Page/document/v5/content/subscribe?user_URL=http://www.theglobeandmail.com%2Fservlet%%2Fstory%2FLAC.20050611.CHINA 1

3. http://news.bbc.co.uk/2/hi/3758707.stm

4. http://www.lungusa.org/site/pp.asp?c=dvLUK9O0E&b=39853

5. http://online.wsj.com/article/SB120156034185223519-email.html

6. http://www.forbes.com/forbes/2003/0901/062.html

7. http://www.allbusiness.com/retail-trade/food-stares/4212057-1.html

8. http://www.ixpg.com/brand-creation.html

9. http://www.smeal.psu.edu/cscr/sponsor/documents/ascn.pdf/download

10. Malcolm Gladwell, *Blink* (Nova York: BackBay Books/Little Brown, 2005), pp. 158-59.

11. http://www.sciencedirect.com/science?_ob=ArticleURL&_udi=B6WSS-4DJ38WF-N&_user=10&_coverDate=l0%2F14%2F2004 &_rdoc=l &_fmt=&_orig=search&_sort=d&view=c&_acct=C000050221&_version=1&_urlVersion=O&_userid=l0&md5=97a7ba3fc02afSaca137edd9173dScdb

12. http://www.newyorker.com/archive/2006/09/18/06091Sfa_fact

13. http://www.iht.com/articles/2006/02/01/bloomberg/bxbrain. php

14. http://neuromarketing.blogs.com/neuromarketing/2006/07/emotions_ vs_log.html

186 | MARTIN LINDSTROM

15. J. Tierney, "Using M.R.I.s to See Politics on the Brain", *The New York Times*, 20 de abril de 2004.

16. "The Ideas Interview: Steve Quartz", *UK Guardian*, 20 de junho de 2006.

17. M. Talbot, "Duped", *The New Yorker*, 2 de julho de 2007.

18. http://miniusa.com/?#/learn/FACTS_FEATURES_SPECS/Top_Features-m

19. A. Cunningham, "Baby in the Brain", *Scientific American*, abril/maio de 2008.

20. J. Rosen, "The Brain on the Stand", *New York Times Magazine*, 11 de março de 2007.

2. Deve ser este o lugar

1. http://publications.mediapost.com/index.cfm?fuseaction=Articles.san&s=65395&Nid=33058&p=222600

2. http://publications.mediapost.com/index.cfm?fuseaction=Articles.showArticleHomePage&art_aid=57272

3. http://www.realityblurred.com/realitytv/archives/american_idol_5/2006_Feb_22_cingular_text_votes

4. http://www.mobiledia.com/news/45332.html

5. http://media.ford.com/article_display.cfm?article_id=26074

6. B. Carter, "NBC to Offer Downloads of Its Shows", *The New York Times*, 20 de setembro de 2007.

7. http://www.jsonline.eom/story/index.aspx?id=305598

8. http://www.nytimes.com/2007/09/20/business/media/20nbc.html?em&ex=1190433600&en=d6b6c1a881c3ccc1&ei=5087%OA

9. http://bgcooper.com/2007/05/07/casino-royale-product-placementoverload/

10. http://www.commercialalert.org/issues/culture/product-placement/plot-line-drink-pepsi

11. http://www.usatoday.com/money/advertising/2006-10-10-ad-nauseum-usat_x.htm

3. Quero o mesmo que ela pediu

1. http://www.newsweek.com/id/54529

2. http://daviddobbs.net/page2/page4/mirrorneurons.html

3. http://www.nytimes.com/2006/01/24/science/24side.html

4. http://www.scenta.co.uk/scenta/news.cfm?cit_id=1140773&FAAreal=widgets.content_view_1

5. http://www.scenta.co.uk/scenta/news.cfm?ciUd=1140773&FAAreal=widgets.content_view_1

6. http://swoba.hhs.se/hastba/papers/hastba2003_007.pdf

7. K. Leitzell, "Just a Smile", *Scientific American*, abril/maio de 2008.

8. http://swoba.hhs.se/hastba/papers/hastba2003_007.pdf

9. C. Witchalls, "Pushing the Buy Button", *Newsweek*, 22 de março de 2004.

10. http://www.kansan.com/stories/2007/apr/26/serial_shoppers/?jayplay

11. http://neuromarketing.blogs.com/neuromarketing/2006/07/emotions_vs_log.html

4. Não consigo mais ver com clareza

1. http://www.straightdope.com/classics/al_187.html

2. http://www.snopes.com/business/hidden/popcorn.asp

3. http://news.zdnet.com/2100-9595_22-517154.html

4. http://www.imbd.com/title/tt0070047/trivia

5. L. Rohter, "2 Families Sue Heavy-Metal Band as Having Driven Sons to Suicide", *The New York Times*, 17 de julho de 1990.

6. http://www.snopes.com/business/hidden/coolcans.asp

7. http://www.msnbc.msn.com/id11628155/

8. D. Westin, *The Political Brain* (Nova York: Public Affairs, 2007), p. 58.

9. http://news.bbc.co.uk/2/hi/in_depth/americas/2000/us_elections/election_news/923335.stm

10. http://www.neurosciencemarketing.com/blog/articles/smiles-boostsales.htm#more-229

11. http://www.observer.guardian.co.uk_news/story/0,6903,1577892.00.html

12. http://www.nascar.com/guides/about/nascar/

5. Você acredita em magia?

1. http://www.esquire.com/the-side/opinion/guinness031207

2. http://www.dailymail.co.uk/pages/live/articles/technology/technology.html?in_article_id =452046&in_page_id=1965

3. Benedict Carey, "Do You Believe in Magic?", *The New York Times*, 23 de janeiro de 2007. http://www.nytimes.com/2007/01/23/health/psychology/23magic.html?ex=1 327208400en=40bd663a129bebc9ei=5088partner=rssnytemc=rss&adxnnl=1&adxnnl x=1191856112-6NnqQV1z+uD/j5C57Mt/Zw

4. http://www.nytimes.com/2007/01/23/health/psychology/23magic.html?pagewan ted=2&ex=1327208400en=40bd663a129bebcgei=5088partner=rssnytemc=rss&adxnnl x=1191780070-Fs2ipYOJuaesEqBsgKZYeQ

5. http://www.timesonline.co.uk/tol/news/world/article627877.ece

6. http://www.query.nytimes.com/gst/fullpage.html?sec=health&res=9F01E4DFlF3BF9 33A25751C1A9649C8B63

7. http://www.aef.com/on_campus/classroom/research/data/7000

8. http://www.washingtonpost.com/wpdyn/content/article/2005/05/11/AR2005051101772.html

9. http://www.iht.com/articles/ap/2007/02/21/europe/EU-GEN-Belgium-Airline-Superstition.php

10. http://www.usatoday.com/travel/columnist/grossman/2005-10-31-grossman.x.htm

11. http://www.ottawasun.com/News/ChronicPain/2006/10/12/2007508-sun.html

12. J. Yardley, "First Comes the Car, Then the $10,000 License Plate", *The New York Times*, 5 de julho de 2006.

13. http://www.gotmilk.com/news/news_008.html

14. http://wheresthesausage.typepad.com/my_weblog/product_rituals/index.html

15. http://archive.salon.com/mwt/sust/200l/02/27/mallomars/print.html

16. http://www.wtopnews.com/index.php?sid=142203&nid=25

6. Façamos uma rápida prece

1. http://www.sciencedaily.com/releases/2006/08/060830075718.htm

2. http://www.newsweek.com/id/74380

3. http://www.thedaily.washington.edu/articlc/2007/2/1/sundays UpcomingPilgrimage

4. Superstição segundo a qual o time de beisebol Boston Red Sox não conseguia ganhar a World Series desde 1918 porque havia vendido o jogador Babe Ruth (conhecido como *The Bambino*) em 1919 para o New York Yankees. A "maldição" terminou em 2004, quando o time finalmente venceu o campeonato após 86 anos sem conquistar o título. (*N. do T.*)

5. http://www. telegraph.co.uk/news/main.jhtml?xml=/news/2008/02/07/wpope107.xml

7. Por que escolhi você?

1. http://www.iep.utm.edu/t/theatetu.htm

2. The Hidden Power of Advertising (Admap Monographs); http://www.amazon.com/gp/reader/1841160938/ref=sib_dp_pt/1042562080-4989511#reader-link

3. http://www.willitblend.com/videos.aspx?type=unsafe&video =iphone

4. http://www.youtube.com/watch?v=WI9J7MoBZbY

8. Uma sensação de deslumbramento

1. http://www.getrichslowly.org/blog/2007/10/02/the-smell-of-money/

2. http://www.nytimes.com/2007/09/09/realestate/keymagazine/909SCENTtxt.html?_r=2&ref=keymagazine&pagewanted=print&oref= slogin&oref=slogin

3. Ibid.

4. http://scienceblogs.com/cognitivedaily/2006/09 /smells_like_clean_spirit.php#more

5. http://ncws.cincypost.com/apps/pbcs.dll/article?AID=/20071123/BIZ/711230312/1001

6. http://money.cnn.com/magazines/business2_archivc/2007/04/01/8403354/index.htm

7. http://www.time.com/time/magazine/article/0,9171,1666274,00.html

8. http://www.businessweek.com/magazine/content/07_33/b4046054.htm?chan=search

9. http://www.freenewmexican.com/artsfeatures/l0701.html

10. http://www.le.ac.uk/psychology/acn5/nature/html

11. http://www.nytimes.com/2007/12/09/nyregion/thecity/09/light.html?_r=1&oref=slogin

12. http://www.mobilemonday.net/news/nokia-market-share-breaks40-per-cent-threshold

13. http://tindarticles.com/p/articles/mi_qn4158/is_20060327/ai_n16175901

14. http://www.nytimes.com/2005/07/10/arts/music/l0ryzi.html?_t =1&oref=slogin

9. E a resposta é...

1. http://www.bbc.co.uk/insideout/east/series4/clive_sinclair_spectrum_c5.shtml

2. http://www.foodprocessing.com/industrynews/2006/041/html

3. http://brandfailures.blogspot.com/2006/11/brand-idea-failures-rjreynolds.html

4. http://brandfailures.blogspot.com/2006/11/brand-idea-failures-rjreynolds.html

5. http://www.everything2.com/index.pl?node=E.T.

6. http://www.p2pnct.net/story/12728

10. Vamos passar a noite juntos

1. http://inventorspot.com/articles/ads_prove_sex_sells_5576

2. http://www.adrants.com/2007/09/tom-ford-and-vulva-create-new-trend-vagin.php#more

3. Ibid.

4. http://www.americanscientist.org/template/BookReviewTypeDetail/assetid/18958

5. http://sexinadvertising.blogspot.com/

6. http://www.economist.com/science/displaystory.cfm?story _id=8770276

7. http://store.soliscompany.com/caklplin.html

8. Ibid.

9. http://www.media-awareness.ca/english/resources/educational/handouts/ethics/calvin_klein_case_study.cfm

10. http://www.iowastatedaily.com/news/1999/02/26/Undefined_Section/Calvin.Klein.Ads.Pulled-1085369.shtml

11. http://www.slate.com/id/2092175/

12. http://www.slate.com/id/2132600/

13. http://www.ausport.gov.au/fulltext/1999/cjsm/v3n3/erdogan&baker33.htm

14. http://www.news.ufl.edu/2006/09/05/sexyads/

15. http://www.findarticles.com/r/articles/mi_m4021/is_ISSN_01634089/ai_75171022

16. http://www.cnn.com/WORLD/9712/23/gorby.pizza/

17. http://online.wsj.com/article/SB119085102463240676.html?mod =mm_hs_advertising

18. http://adweek.blogs.com/adfreak/2007/09/italys-anti-ano.html

11. Conclusão

1. http://sg.biz.yahoo.com/071009/68/4bqns.html

2. http://www.industryweek.com/ReadArticle.aspx?ArticleID=15191&SectionID=2

3. http://www.medicinenet.com/script/main/art.asp?articlekey=86413

4. *Guardian Unlimited*, 5 de fevereiro 2007; http://www.sport.guardian.co.uk/breakingnews/feedstory/0,,-639428,00.html

BIBLIOGRAFIA

O cérebro humano é uma área difícil na qual navegar; abrir caminho na bacia do Amazonas é uma moleza em comparação. Sabendo muito pouco de neurociência antes de iniciar *A lógica do consumo*, fiquei grato e aliviado por me deparar com o trabalho de Susan Greenfield, uma professora de farmacologia da Universidade de Oxford. Seus livros lúcidos e extremamente fáceis de ler, *The Human Brain: A Guided Tour* (Londres: Phoenix/Orion Books, 1998) e *Brain Story* (Londres: BBC Worldwide, 2000), foram fundamentais para me ajudar a obter um entendimento simples de um órgão nada simples. Também serviram para me lembrar constantemente que é um milagre os seres humanos terem "mentes" que podem indagar, especular e explorar em profundidade o próprio "cérebro" (imagine se seu pé pudesse observar a sua própria condição como um pé).

Além disso, o necessário e divertido *Mapping the Mind* (Berkeley: University of California Press, 1999), de Rita Carter, esclareceu ainda mais a geografia do cérebro para mim. *How the Mind Works*, do cientista cognitivo Steven Pinker (Nova York: W.W. Norton, 1997) também é uma síntese primorosa e agradável da ciência cerebral. Eu não poderia recomendar mais intensamente esses quatro livros.

Mas sempre há um momento, depois de ler um livro, no qual você quer, mas não pode fazer ao autor uma pergunta que acabou de lhe ocorrer. É por isso que agradeço mais uma vez os doutores Gemma Calvert e Richard Silberstein, bem como a suas equipes de pesquisa, que responderam todas as minhas perguntas, por mais ingênuas ou tolas, com delicadeza, inteligência, clareza e bom humor. Acima de tudo, agradeço profundamente à minha pesquisadora, a intrépida e incansável Bobbie7, que investigou todas as dúvidas que eu tinha e respondeu com pilhas de material de todo o mundo, com rapidez, generosidade e minúcia. Este livro não teria sido escrito sem ela.

Como assinalei no Capítulo 1, *A lógica do consumo* nunca teria acontecido se eu não tivesse me deparado com "In Search of the Buy Button", de Melanie Wells, em uma edição de 2003 da revista *Forbes*. Se eu tivesse adormecido durante aquele voo, ou estivesse imerso em um misterioso caso de homicídio, é mais que provável que as experiências de pesquisa sobre as quais escrevi neste livro nunca tivessem acontecido. O artigo me incitou a experimentar um novo par de óculos e espero que, ao ler este livro, eu tenha ajudado você a olhar para as marcas através de óculos semelhantes. Obrigado, Melanie — aposto que você não sabia que seu artigo inspiraria todo um livro.

"In Search of the Buy Button" também me inspirou a buscar outros artigos e obras sobre aquele assunto. Também sou grato ao sempre soberbo John Cassidy, da *The New Yorker*, que explorou a neuroeconomia e o cérebro em ser artigo "Mind Games", de 18 de setembro de 2006 (disponível on-line em http://www.newyorker.com/archive/2006/09/18/060918fa_fact); Malcolm Gladwell, cujo altamente divertido *Blink* (Boston: Little, Brown, 2005), um livro que realmente merece o sucesso que obteve em todo o mundo, foi extremamente útil ao me apresentar outra perspectiva da experiência Pepsi-Coca de neuromarketing do dr. Read Montague; e John Tierney, do *The New York Times*, cujo artigo "Using MRIs to See Politics on the Brain", de 20 de abril de 2004 (também disponível on-line) examinou de forma brilhante o uso do rastreamento cerebral para explorar o cérebro dos eleitores. "Duped", de Margaret Talbot, publicado na edição de 2 de julho de 2007 da *The New Yorker*, ajudou a iluminar a ética e as controvérsias do uso do neuromarketing no cumprimento da lei, assim como o artigo "The Brain on the Stand", de Jeffrey Rosen, publicado em 11 de março de 2007 no *The New York Times*.

No meu capítulo sobre inserção de produto, inúmeros sites me ajudaram a ter uma visão panorâmica da saturação dessa tradicional técnica de venda. No meu capítulo sobre neurônios-espelho, nem é necessário dizer que obtive uma enorme quantidade de informação a partir do trabalho do dr. Giacomo Rizzolati e da sua equipe de pesquisa baseada em Parma, Itália. Minhas informações sobre o cérebro e a *schadenfreude* (o prazer que sentimos com a desgraça alheia) vieram do intrigante artigo de James Gorman "This Is Your Brain on Schadenfreude", que foi publicado na edição de 24 de janeiro de 2006 do *The New York Times*.

O capítulo sobre publicidade subliminar deve muito a inúmeros sites e artigos que exploraram os efeitos subliminares da música popular. Fico grato por, ao longo dos anos, várias almas observadoras terem postado vídeos no YouTube expondo estímulos subliminares em tudo, desde anúncios da moda até filmes da Disney (embora eu deva dizer que a sedução subliminar muitas vezes está nos olhos de quem a vê). O *The New York Times*, como sempre, fez um trabalho espetacular cobrindo o processo contra o Judas Priest, o astuto, provocador e inovador livro de Drew Westen, *The Political Brain* (Nova York: Public Affairs, 2007), forneceu exemplos fascinantes de anúncios políticos com nuances subliminares. Esse é um livro essencial e muito divertido que todo eleitor deve ler antes da próxima (ou, na verdade, de *qualquer*) eleição.

No capítulo sobre a prevalência dos rituais ao redor do globo, fui enfeitiçado, divertido e cativado por *Curious Customs: the Stories Behind 296 Popular American Rituals*, de Tad Tuleja (Nova York: Stonesong Press, 1987). Também sou grato às experiências brilhantes e pioneiras (que também continuam a me surpreender) realizadas por Bruce Hood, professor de psicologia experimental na Universidade de Bristol, Reino Unido. Correm boatos de que o dr. Hood está escrevendo seu próprio livro; acredite quando digo que serei o primeiro da fila para comprar um exemplar autografado. O artigo de Benedict Carey sobre superstição e magia na edição de 23 de janeiro de 2007 do *The New York Times* ajudou a lançar luz sobre o tópico dos rituais em nossa vida, assim como um enorme projeto de pesquisa sobre rituais realizado pela gigante da publicidade BBDO e seu estimável executivo-chefe, meu amigo Andrew Robertson. Em 1981, o *The New York Times* também publicou um artigo maravilhoso, "Living with Collections", que analisava o aumento do número de colecionadores (e isso foi anos antes de o eBay entrar em cena!).

A Hello Kitty sempre me fascinou como fenômeno cultural. *Hello Kitty: The Remarkable Story of Sanrio and the Billion Dollar Feline Phe-*

nomenon, de Ken Belson e Brian Bremmer (Cingapura: John Wiley & Sons, 2004), é o guia definitivo dessa criatura misteriosamente sem boca e de olhos pálidos e da sua dominação global. Para se esbaldar, visite http://HelloKittyHell.com, um site criado por um homem exasperado, mas engraçado, que volta para casa todo dia e encontra vários artigos novos da Hello Kitty adicionados a uma coleção de artefatos da Hello Kitty que deve estar entre as maiores do mundo.

Em minhas pesquisas para o capítulo sobre religião, e em especial no "estudo com freiras" realizado no Canadá, tenho uma dívida com *Why God Won't Go Away*, de Andrew Newberg, M.D., Eugene D'Aquili, M.D., Ph.D., e Vince Rause (Nova York: Ballantine Books, 2001), que, como diz o subtítulo, explora a ciência cerebral e a biologia da crença. É uma visão impressionante de um tópico eternamente fascinante, e extremamente atual.

As raízes do neuromarketing podem ser atribuídas à asserção que o neurocientista Antonio Damasio fez há mais de uma década de que os seres humanos usam as partes emocionais de seu cérebro (e não apenas as partes racionais) ao tomarem decisões. Para meu capítulo sobre marcadores somáticos, os trabalhos de Damasio foram seminais, especialmente *Descartes' Error: Emotion, Reason and the Human Brain* (Nova York: Penguin Books, 2005) e *The Feeling of What Happens: Body and Emotion in the Making of Consciousness* (Nova York; Harvest Books, 2000). A hipótese sobre marcadores somáticos não existiria sem o trabalho do dr. Damasio — ele cunhou o termo — e minha dívida com ele e sua equipe, sobretudo com sua esposa, a dra. Hannah Damasio, é incalculável. O dr. Robert Heath, um consultor baseado no Reino Unido, também lançou uma luz reveladora sobre esse tópico.

No capítulo sobre os sentidos humanos, fico grato à equipe de uma das minhas empresas, a agência BRAND sense, assim como aos executivos da Firmenich por sua contribuição e apoio. Na edição de 10 de julho de 2005 do *The New York Times*, Melene Z. Ryzix escreveu um artigo fascinante sobre a duradoura e onipresente popularidade do toque da Nokia. No meu capítulo sobre o *Quizmania*, um site bizarramente chamado Brandfailures ajudou a concentrar meus pensamentos em alguns produtos altamente esperados que nunca satisfizeram as expectativas dos profissionais de marketing.

E, no meu capítulo sobre sexo na publicidade, obtive ideias valiosas de um site conhecido simplesmente como http://www.sexinadvertising.blogspot.com — bem como de um artigo fascinante publicado em março de 2007 na *The Economist* chamado "The Big Turn Off", que explorava as diferenças entre as reações de homens e mulheres a anúncios com conteúdo de teor sexual.

Na conclusão, fico em dívida com o *Guardian* por causa de sua investigação sobre o que os anúncios do Super Bowl *realmente* significaram para uma vasta faixa de telespectadores.

Sobretudo, sou, e continuo sendo, grato a todas as empresas que me contrataram para viajar o mundo, visitar seus países, explorar seus negócios, decifrar suas marcas e voltar para casa com mais histórias do que Sherazade. Obrigado a todos vocês.

ÍNDICE REMISSIVO

A

AAA 48

Abercrombie & Fitch 63, 81, 127, 155, 159

ações judiciárias 68-69

Adolph Coors 145

água engarrafada 99, 100, 112, 115, 175

Alemanha 40, 117, 118

Alka-Seltzer 137

Alli 143

Alta velocidade 48

Amazon.com 33

American Apparel 155, 160

American Express 104, 110

American Idol 41, 45, 52, 147

Americhip 131

anatomia cerebral. *Ver* função cerebral

 amígdala cerebelar 34, 35, 127, 170

 área de Brodmann 18, 63

 área límbica 33, 58, 129

 área pré-motora 56, 58

 cingulado anterior 169

 córtex cerebral. *Ver* córtex cerebral

 ínsula 97

 lobo parietal superior 55

 marcadores somáticos 123, 142

núcleo caudado 97

nucleus accumbens 22, 74, 77, 78, 169

putâmen ventral 32

Andrex 119

anorexia 165

ansiedade. *Ver* medo

Apple

 anúncios incorporando IBM 102

 associações emocionais 32

 grandiosidade do varejo 104, 108

 ícones 104

 iMac 135

 iPhone 120

 iPod 54, 91, 102, 109, 110, 137

 merchandising 48

 Newton 108

 pesquisas com IRMf 108, 109, 110

 visão de Jobs 101

Aquafina 48

Armstrong, Lance 105

Ases indomáveis 48

Aston-Martin 49

atmosfera de lojas de varejo 64

 música de fundo 70, 137

 padronização 91

 sensação de grandiosidade 104

A LÓGICA DO CONSUMO | 197

sexo em mostradores 155
terapia do consumo 63
uso do olfato 64, 129, 132
uso do tato 133
AT&T. 48 *Ver também* Cingular Wireless
Audi 117
audição. *Ver* sentidos, audição
Austin-Healey 48
Axe 162

B
Bacardi 93
Baily, Nick 60
Banana Republic 132
Bang & Olufsen 101, 133
bares, exposição subliminar de marcas
em 75
BBDO Worldwide 85
Beauregard, dr. Mario 97, 98
Benson & Hedges 75
biscoito Mallomar 93
Blake, William 139
Blendtec Blender 120
Blu-ray 49
Boggs, Wade 89
BP Oil 109, 110
bracelete LiveStrong 105
Branding Sensorial 125, 132, 142
Branson, Richard 104, 174
brinquedos 95
British Airways 129, 139, 140, 155
Buffett, Jimmy 106
Bush, George W. 35, 71, 171

C
Cable Association 161
Calvert, dra. Gemma
origem 20, 40, 178
pesquisa sobre o toque Nokia 141
pesquisa sobre religião e marcas 110

pesquisa sobre sentidos e
comportamento de consumo 126
pesquisa sobre tabagismo 22, 79
Calvin Klein 155, 160
Camel 75, 79
canal 138
Carey, Mariah 154
Caro, Isabelle 165
carros. *Ver* indústria automobilística
celebridades 45, 160, 161, 162, 170,
174
Centro de Ciências de Neuroimagem
16
Chanel 107
China 18, 19, 40, 88, 99, 109
Christian Dior 168
cigarros. *Ver* tabagismo; indústria do
tabaco
Cingular Wireless 43, 45, 52. *Ver
também* AT&T
Cinzano 161
Clear Channel Communications 71
Cleese, John 161
Clube da luta 68
Coca-Cola
associações emocionais 33
BlaK 145
Desafio Pepsi 33
fórmula secreta 106
garrafa 95, 108
merchandising em *American Idol* 43,
44, 52
New Coke 10, 145
pesquisa sobre religião e marcas 110
pesquisa sobre sentidos e
comportamento de consumo 126
rum Bacardi, e 93
Vanilla e Black Cherry Vanilla 128
colaboração 143
Cold Stone Creamery 93

Colgate 123

Combs, Sean (P. Diddy) 154

comerciais
ambiguidade com integração de produto 44, 52
celebridades em 45, 160, 170
de cigarros, proibição 75
estatísticas de exposição 41
falta de lembrança dos consumidores 43
falta de originalidade 43
incorporação de marca concorrente 102
jingles 137
novos métodos de distribuição 42
papel da memória no comportamento de consumo 50, 51, 52
papel de parede 46
Super Bowl 169, 170
tecnologias para pular 46, 70
uso de marcadores somáticos 122
uso do medo 35, 123, 172
uso do sexo 157, 158, 160
uso do som 137

Comissão Central de Ética 178
considerações éticas 39

Comissão Federal de Comércio 67

Comissão Federal de Comunicação 67

Commercial Alert 13

comportamento de consumo
com base em cores 135
com base em origem do produto 73
com base em som 137
consumismo 63, 172
mudanças de opinião 62
papel da dopamina 63, 64, 172
papel da memória 50, 51, 52, 111
papel de marcadores somáticos 123

papel dos neurônios-espelho 61, 65, 128, 165
porcentagem que é subconsciente 115, 168. *Ver também* consciência racional, subjugação da
questões de preço 169
tempo necessário para decidir 62
terapia de consumo 63

compras. *Ver* comportamento de consumo

Comptoir des Cotonniers 163

computador Newton 108

concorrência 102, 110

conhecimento é poder 175

consciência racional, subjugação da
dopamina 62, 64, 172
emoções 26, 32, 33, 60
subconsciente 23, 26, 28, 59, 114, 116, 135, 171. *Ver também* marcadores somáticos

considerações econômicas
custos de anúncio durante o Super Bowl 170
custos de assistência médica para fumantes 19
custos de merchandising 44, 51
custos de pesquisa de mercado 27
pagamento a bares para oferecer exposição subliminar de marcas 75
questões de preço de produto 169

considerações éticas 14, 29, 39, 48, 134, 178

considerações evolutivas 63, 95, 129, 134

considerações societais
ativismo 105
hora das refeições 86, 92
"nós contra eles" 101

sensação de pertencimento 91, 100, 110

status social 63, 95, 104, 171

tendências e neurônios-espelho 56, 61, 63, 65

construção de marcas
  branding sensorial 125, 132, 143
  elemento de surpresa 122
  exposição subliminar da marca 75, 76, 81
  marcas humanas 174
  papel das emoções 32, 52, 79
  percepção de valor 174
  pesquisa sobre religião e marcas 100, 111
  tradicional, limitações da 27

consumidores, anúncios gerados por 163. Ver também percepção de si mesmo

controle da mente, questões éticas 14, 29, 39

Coors Rocky Mountain Sparkling Water 145

cor 44, 51, 80, 136

Corker, Bob 71

Corona 82

córtex cerebral
  cingulado anterior 57
  frontal inferior 55
  frontoinsular 57
  orbitofrontal lateral esquerdo 127
  orbitofrontal medial direito 127
  orbitofrontal medial inferior 111
  piriforme direito 127
  pré-frontal lateral 33, 141
  pré-frontal medial 32
  visual 78

cosméticos 91, 107

Crayola 128

crianças 85, 96, 159

D

dados de marketing
  confiabilidade questionável 9, 15, 22, 28, 30, 151
  qualitativos e quantitativos 15, 27, 152

DaimlerChrysler 37

Dasani 115

DeBeers Company 47

dependência 13, 18, 22, 74, 77, 78, 169. Ver também tabagismo

detecção de mentiras 36

Dickson, Tom 120

Disney 103

D.J. Flooring 69

Doerr, John 144

Dolce & Gabbana 159

dopamina 63, 64, 171, 172

Dove 126, 163

dr. Pepper 137

Duracell 133

E

eBay 49, 95, 110

EEG (eletroencefalograma) 55, 168

Efeito Vampiro 157

emoções. Ver também colaboração; empatia; medo; motivação
  associadas a corrida de carros 79
  associadas a marcas de luxo 104
  associadas a religião e marcas poderosas 112
  associadas a rituais 83
  atividade cerebral 33, 34, 35, 58, 127, 129, 142, 170
  durante interação com computador 169
  efeitos de mensagens subliminares 73

efeitos do comportamento de outras pessoas 56, 60

papel na construção de marcas 32, 52

subjugação da escolha racional por 25, 32, 33, 59

empatia 57, 58

Encontro de amor 53

Energizer 121

Ericsson 49, 91

Eskimo 169

esporte 90, 100, 111

Estratégia Gillette 164

estresse
ambiente de guerra 35, 84, 172
aumento da velocidade de fala e caminhada 84
benefícios de superstição e ritual 84, 85, 91
e comportamento irracional 26
fantasias de relaxamento 106
intrusão da tecnologia 139, 142
publicidade guiada pelo medo 35, 123, 172

E.T. – O extraterrestre 47, 48, 52
videogame 146

evangelismo 104

exclusividade 104, 174

Exorcista, O 68

experiência espiritual 98

F

Falcão Negro em perigo 53

Fanta 49

fantasias ou sonhos 59, 65, 165

FCC. *Ver* Comissão Federal de Comunicação

Federline, Kevin 170

FedEx 49

Férias de amor 66

Ferrari 36, 77, 78, 79, 108, 109, 110, 111

filmes. *Ver* indústria cinematográfica

FKF Applied Research 35

Food Channel 68

Forças Armadas 36, 48

Ford, Harold 71

Ford Motor Company
Fórmula Um 76, 77, 79, 80
fracasso do "Carro Americano" 146
merchandising em *American Idol* 43, 45, 52
merchandising em filmes 49
sexo na publicidade 153
uso do som com Taurus 137

Ford, Tom 154

Freedman, Tom 34, 35

FremantleMedia 147, 151

French, Dawn 161

Friedman, Steve 98, 99

função cerebral. *Ver também* neurociência; neuromarketing
aversão e repugnância 127
conflito sobre uma ação 169
desejos, dependência e recompensa antecipada 23, 74, 77, 78, 169
emoções, empatia e memória 33, 58, 129
experiência religiosa e espiritual 98, 111
geração de emoção 33, 141
imitação de atividade sem movimento 56, 58, 59
intervalo de atenção 42, 123, 135
medo, ansiedade e terror 35, 127, 170
memória. *Ver* memória
percepção de algo agradável 126
percepção de si mesmo e emoções sociais 63

processamento de imagem 79

processo de aprendizado 116

processo de filtragem durante
sobrecarga de informações 12, 13,
42, 49

raciocínio elevado e discernimento 32

reconhecimento facial 37

relacionada a dor 57

relevância emocional 35, 127, 170

sabor agradável 32

sensação de recompensa 111

sexo 37

G

GaJol 121

Gap 132, 159, 160

General Electric 47, 136

General Motors 170

Germann, Brian 100

GlaxoSmithKline 75, 143

Gmail 104

Google Maps 104

Gorbachev, Mikhail 163

grandiosidade 104, 109

Gucci 169

Guinness 83, 108, 109

H

Hard Rock Casino 155

Harley-Davidson 32, 102, 108, 109,
111

Heath, Robert 119

Heineken 82

Heinz 135, 162, 163

Hello Kitty 95

Hershey 47

Hertz 102

Hills, The 162

Hilton, Paris 174

Hirsch, dr. Alan 131

Holy Land Earth 98

Homem-aranha 3 121

Honda 102

Hood, dr. Bruce 84, 85

hotéis 103, 132

How Clean Is Your House? 148, 150,
151

humor 122, 161

Hyatt 132

I

IBM 101

ícones 105, 111

identificação de produto
cor 44, 51, 80, 136
exposição subliminar da marca 75,
80
ícones 105, 110, 111
logomarcas. *Ver* logomarcas

iMac 135

imagem corporal 65, 136, 165

Imagem por Ressonância
Magnética. *Ver* IRMf

indústria automobilística
beleza na publicidade 162
cheiro de carro 70, 102
comercial típico 43
design de site 136
e sexo 37, 154
pesquisa com IRMf 39

indústria cinematográfica 49, 53, 65,
66, 68, 121

indústria de ovos 134

indústria do tabaco 19, 81, 146. *Ver
também* tabagismo

indústria televisiva
anúncios. *Ver* comerciais
e mensagens subliminares 67, 68
merchandising 40, 45, 50
programas baseados na realidade 162

proibição de anúncios de cigarro 75
teste de mercado de piloto de programa 151
integração de produto 45, 51
internet 42, 165. *Ver também* sites
intervalo de atenção 41, 123, 135
iPhone 120
iPod 42, 91, 102, 109, 111, 137
IRMf (Imagem por Ressonância Magnética funcional)
  aplicações médicas 17
  branding da DaimlerChrysler 36
  comerciais durante o Super Bowl 170
  conceito de marca 40, 75
  design experimental 39, 74, 179
  experiência espiritual 98
  instigação do interesse do autor 30
  memória de imagens 74
  neurônios-espelho 56, 58
  Pepsi contra Coca-Cola 32
  perfume J'adore 168
  política 35
  preço e prazer 169
  princípios de operação 17, 21, 38, 178
  religião e *branding* 100, 112
  sentidos e comportamento de consumo 125, 126
  som característico da marca 141
  tabagismo 18, 23, 74, 79
  vantagens 39
IRM (Imagem por Ressonância Magnética). *Ver* IRMf
Iron Chef America 68
Iskilde 115
itens colecionáveis 96

J

Japão 40, 118, 172, 184
Jenkins, Alan 99

Jif 114
Jobs, Steve 54, 101, 107, 108, 135, 144
Jogos Olímpicos 90
Johnson & Johnson
  talco para bebês 127, 128, 132
  xampu para bebês 123, 126, 127
Jordan, Michael 89

K

Kahneman, Daniel 89
Keinan, Giora 84
Kellogg's 136
Key, dr. Wilson B. 67
KFC 70, 163
Kit Kat 88
Kleenex 119

L

Lamisil 122
lealdade. *Ver* lealdade à marca
lealdade à marca 76, 95, 173
legislação 13, 80
Lego 94, 112
Lever Brothers 47. *Ver também* Unilever
Link, dr. Henry 67
lógica de consumo, uso do termo 13, 39, 176
logomarcas
  auditoria 136
  declínio da importância 20, 81, 105
  eficiência do merchandising 47, 53
  foco empresarial em 125
  McDonald's 68
  merchandising da Cingular 45
  vistas conjuntamente com som 141
  visualizadas a partir de um cheiro 128
Lohan, Lindsay 161
Louis Vuitton 49, 53, 104, 169, 171

M

Magners 92

Malásia 75

Malcolm in the Middle 156

marcadores somáticos 123, 141
  publicidade subliminar 20, 81
  superstição e ritual 26, 83, 90, 92, 96

marcas de luxo 104, 169

Mariah Carey 154

marketing 24, 27, 167, 171. *Ver também* dados de marketing, confiabilidade questionável; neuromarketing; sentidos, papel no marketing

marketing de moda. *Ver* Calvin Klein; Christian Dior; Dolce & Gabbana; Gucci; Louis Vuitton; Prada; Ralph Lauren

Marlboro 19, 75, 76, 77, 78, 79

Mars Company 47

McDonald's 68, 93, 95, 105, 137

medo 35, 123, 170, 172

memória
  atividade cerebral 33, 58, 129
  de comerciais ou anúncios 42, 43, 44, 50, 51, 52, 157, 158
  de experiências passadas. *Ver* marcadores somáticos
  efeito de imagens sexuais 157, 158
  implícita 91
  lembrança de imagem 73
  peixe-dourado 41
  poder da audição com visão 141
  poder do olfato com visão 127

mensagens subliminares 20, 81

Meow Mix 137

Mercedes-Benz 102, 135

merchandising
  em *American Idol* 41, 45, 52
  em filmes 49, 53

em *videogames* 125

estudo da eficácia 33, 46, 53

MIB – Homens de Preto II 48

Michelin 118

Microsoft 104, 109, 110, 139, 141, 168

mídia 159. *Ver também* setor de revistas; indústria cinematográfica; indústria televisiva

MindCode 168

Mini Cooper 36

Minority Report – A nova lei 53

missão, senso de 102, 110

mistério 107, 112

M&Ms 136

modelos 162, 163

modificação de comportamento 73

motivação 15, 33, 61, 62, 63. *Ver também* comportamento de consumo; percepção de si mesmo; sentidos

música 68, 69, 142, 168

N

Nabisco 92, 132

Nandos 155

narração de histórias 103, 110

Nascar 76, 77, 79, 80, 134

National Airlines 153, 165

Nationwide Annuities 170

Negócio arriscado 47

Nescafé 129

Nestlé 89

neurociência
  área pré-motora 56, 58
  como nova ciência 15, 30
  dependência 13, 19, 23, 74, 77, 78, 169
  influência do olfato 132
  mensagens subliminares 73

pesquisa de atividade cerebral. *Ver* EEG; IRMf; TEE

Neuroco 125

Neuro-Insight 20, 178, 179

neuromarketing
como próxima frente de pesquisa 13, 14, 15, 29, 30, 146, 168
definição 13
ética. *Ver* considerações éticas
pesquisa. *Ver* EEG; IRMf; TEE
previsão do mercado futuro 24, 152, 175

neurônios-espelho 65, 128, 165

Neurosense 182

Nike 100, 105, 131

Nikon 155

Nintendo 60, 61

Nokia 91, 102, 113, 138, 139, 141

Nolita 164, 165

Nova técnica de convencer, A 9, 66

Noxzema 153, 154, 165

números, superstições 90

O

olfato. *Ver* sentidos, olfato

Oreo 92, 93

P

paladar. *Ver* sentidos, paladar

Paquette, dr. Vincent 98

Pavarotti, Luciano 121

Pepsi-Cola Company 33, 51, 69, 101, 145

percepção de si mesmo
atividade cerebral 64
fortalecida nas crianças 85
identificação com pessoas que se parecem conosco 162
imagem corporal 64, 136, 164, 165
legitimação por meio de ritual 86

marketing de produtos de beleza 91, 107, 122
status social e autoestima 63, 95, 171

perfume 73, 107, 112, 154, 155, 168

Peter Pan 114

Philip Morris 19, 75, 81

Phillips Van Heusen 160

Pizza Hut 163

Play-Doh 128, 129, 132

pneus 119

política 36, 67, 71

Polyn, Sean 73

Prada 63, 104

prece 89, 97, 111, 146

Pringles 137

processo de compras. *Ver* comportamento de consumo

Procter & Gamble 131

produtos
lançados globalmente por ano 30
lançados nos EUA, 2005 30
porcentagem dos lançados que fracassam 27, 30, 145
previsão de sucesso 24, 152
que fracassaram 146
questões de preço 169

produtos de beleza 91, 107, 122

publicidade. *Ver também* comerciais
ambiguidade com conteúdo criativo 49
beleza humana em 160, 163
controvérsia em 159, 160, 164
desvantagem transformada em virtude 83, 121
evocações, alertas visuais ou blinks 71
sexo na 20, 69, 153
subliminar 20, 66
tendências futuras. *Ver* tendências futuras na publicidade

Puffs 131

Q
química cerebral. *Ver* dopamina
Quizmania 147, 148, 149, 150, 151, 194

R
Ralph Lauren 81, 108, 171
Ray-Ban 48
Red Bull 110
Rei leão, O 68
Reino Unido 18, 19, 67, 74, 79, 92,
    112, 119, 129, 131, 138, 145,
    147, 152
religião
    dez pilares da 108
    e branding 20, 100, 112
    neuroatividade durante experiência
        espiritual 98
    no marketing de produto 113
    prece 89, 97, 100, 111
    solo e água sagrados 100
relógio Omega 49
Renova 154
restaurantes, fast-food 125, 126, 130
rituais 83, 96, 98, 99, 100. *Ver*
    também superstições
Rizzolatti, Giacomo 56
R.J. Reynolds Tobacco Company 75,
    146
Rossiter, Leonard 161
Royal Mail 131
Roy, Patrick 89

S
Samsung 113, 129
sangue, oxigenado 17, 36, 178
Scarface – A vergonha de uma nação 47
Segway PT 144, 145, 152
Seki saba 172, 173

sentidos
    audição 24, 102, 110, 143
    olfato 70, 102, 110, 132
    paladar 32, 102
    papel na religião 102
    papel no esporte 110
    papel no marketing 24, 64, 70, 102,
        109, 143
    tato 102, 133
    visão 102, 124, 125, 128, 136, 140
setor de revistas 75, 131
Sex and the City 156
sexo
    atividade cerebral 37
    boato de *O rei leão* 68
    e indústria automobilística 37, 153,
        154
    na publicidade 20, 37, 69, 166
    no varejo 64, 155
    versus amor 161
Shields, Brooke 157, 158
Shrader Universal 157
Silberstein, Richard 20, 46, 50, 148,
    150, 177, 178, 183, 191
Silk Cut 79, 80
símbolos e simbolismo 106, 110, 174
Simple Life, The 162
Simplesmente amor 138, 142
Simpsons, Os 71
Sinclair CS 145
sites
    A lógica do consumo 176
    Amazon.com 33
    ativação de neurônios-espelho 61, 65
    Blendtec Blender 120
    eBay 49, 95
    Heinz 162
    Mercedes-Benz 135
    Nestlé 89
Skippy 9, 114

sobrecarga de informações 12, 13, 42, 49, 70, 124

Sócrates 116

som. *Ver* sentidos, audição

Sony 49, 91, 107, 121

Sopa Campbell's 95

Spiritual Water 100

subconsciente 23, 26, 28, 59, 115, 135, 168, 171. *Ver também* marcadores somáticos

Subliminal Seduction 67

Subway 93

supermercados 130, 137

superstições 26, 90. *Ver também* rituais

Swan, The 148, 149, 150, 151

T

tabagismo. *Ver também* indústria do tabaco

  advertências de saúde 18, 20, 23, 77

  comerciais antitabagismo 77, 81

  custos de assistência médica 19

  estatísticas de doença e morte 19

  estatísticas de início 65

  fumo passivo 18

  pesquisa com IRMf 17, 23, 74, 79

Target 49

tato. *Ver* sentidos, tato

tecnologia de rastreamento cerebral. *Ver* EEG; IRMf; TEE

tecnologia, relação humana com 42, 91, 133, 139, 142, 169

TEE (topografia de estado estável)

  conceito de marca 40

  eficácia do merchandising 46, 52

  instigação do interesse do autor 30

  princípios de operação 20, 30, 179

  testes de piloto de programa de televisão 151, 152

  vantagens para pesquisa 38

telefones celulares 91, 102, 138

tendência etária 129

tendências futuras na publicidade

  branding sensorial 143

  exposição subliminar da marca 20, 76

  gerada pelo consumidor na vida real 163

  marca humana 174

  previsão do mercado 24, 152, 175

  sem logomarca 81

  sexo 166

  uso de neurônios-espelho 65, 164

  uso do medo 172

teoria econômica 33

terrorismo 35, 172

Thomas Pink 129

Tiffany's 134

topografia, estado estável. *Ver* TEE

Toblerone 102

tomada de decisões. *Ver* comportamento de consumo

Transformers 48

tribo, social 86

Trinitron 107

Tversky, Amos 89, 90

20th Century Fox 125

U

Uma turma do barulho 53

Underhill, Paco 10, 132, 181

Unilever 47, 58, 106, 169

Universidade Emory 13

USA Today 53

V

Venn, John 15

Verizon 49, 51

Vicary, James 66, 67

Vicks 131

Victoria's Secret 164

videogames 59, 64, 125, 146
viés cultural 25, 129
vinho 169
Virgin Atlantic 103, 155, 174
visão. *Ver* sentidos, visão
Vodafone 112
Vogue 155
Volvo 154

W
Wanamaker, John 26
Wayne Enterprises 100
White Owl Cigars 47
Whole Foods 103
Windows 139, 140

Y
Yamaha 102
YouTube 61, 120, 139, 162

Z
007 – Cassino Royale 49, 53
007 – Um novo dia para morrer 48

Este livro foi impresso em 2025,
pela Assahi, para a HarperCollins Brasil.
A fonte usada no miolo é Agaramond, corpo 13/15,5.
O papel do miolo é pólen natural 70g/m², e o da capa é cartáo 250g/m².